JN114120

五十路で単身地方移住してみた

九年間のふくしま暮らし日記

中川 雅美

東京図書出版

まえがき

この本を手に取っていただきありがとうございます。初めに少し自己紹介をさせてください。神奈川県川崎市生まれ。高校時代から生活圏は東京。都内の外資系企業数社に勤め、結婚する間もないサラリーマン生活を二十数年。そんな四十路の最後の年に、縁あって私は福島県内に仕事を得ました。

なぜ福島だったのか。その経緯を簡単に記すとこうなります。

東京の生活・東京の価値観しか知らない自分が少し不安になる。↓いちどは地方暮らしを経験してみたいが、定年退職までは待てない。↓どうせ地方で仕事するなら東日本大震災の被災地復興支援もいいかもしれない。↓でも寒すぎたり遠すぎたりするのはどうも……と思い、ほどよい距離の福島で仕事を探す。↓在京のＮＰＯ法人が運営する被災地への「右腕派遣」というプログラムで、ちょうどよい仕事を見つける。

そして、東京電力福島第一原発事故で全町避難中の福島県浪江町役場で広報の手伝いをすることになり、生まれて初めて任期付き公務員になりました。二〇一四年初めのことです。もっとも、当初の任期は一年少々の予定でしたから、私としては東京と行き来しながら期間限定の「プチ移住体験」のつもり。荷物もすべて東京のマンションに残してあったのですが……。

二〇二三年春で東日本大震災と原発事故から一二年。私が福島に来てから九年。その間、私自身にもいろいろな変化がありました。原発事故そのものはまだ収束していないとはいえ、私がもともと支援するためにやってきた地域は、もはや「被災地」というレッテルのもとに語ることはできなくなっています。

そこで、私自身もそろそろ、自分で自分に貼りつけていた「移住者」のレッテルを剥がそうと決めました。そして、九年間、ヨソモノ目線で綴ってきたブログを思い切って閉じるにあたり、その内容を編集して一冊の本にまとめてみようと考えたのです。

あらかじめお断りしておかなければなりませんが、この後に続く数百ページの中には、ドキドキするような大事件もアッと驚くドンデン返しもありません。おおかたの人間の人生ってそんなものだと思います。

だとしても、相対的に数の少ない五十路の単身地方移住者が福島に関わって見聞きしたこと・感じたこと・考えたことの中には、多少なりとも誰かの参考になったり、刺激になったりすることがあるかもしれない——。そんな願いを込めてつたない文章を世に送り出すことにしました。ぜひ最後まで淡々とお付き合いいただければ幸いです。

（この本に書かれた情報はすべて、執筆当時のものです。執筆年月日は各記事の冒頭に記してあります）

略年表

二〇一一年三月　東京で勤務中に東日本大震災・東京電力福島第一原子力発電所事故が発生

二〇一三年八月　NPO法人エティック運営による東北被災地の諸団体に右腕人材を派遣するプログラムで、福島県浪江町役場の募集を知り、応募

二〇一三年一〇月　面接のため初めて福島県二本松市（当時の役場の避難先）を訪問

二〇一四年一月　二本松市の賃貸アパートへ引っ越し、ブログ執筆開始

二〇一四年二月　浪江町役場二本松事務所で勤務開始（当初は復興庁派遣職員として一年二カ月の任期予定）

二〇一五年九月　東京に残してあった自宅マンションを引き払い、新しいブログを開始

二〇一六年四月　福島市に中古マンションを購入して引っ越し

二〇一七年四月　浪江町役場を退職、フリーランスライターとして福島県内外で活動開始

五十路で単身地方移住してみた　目次

第一章　公務員になって被災地へ赴いた

（二〇一四年一月〜二〇一七年三月）

■ふくしま暮らし、はじめました

二〇一四年一月二二日

来る二月より復興庁の市町村応援職員として、福島県浪江町役場・二本松事務所に派遣され、約一年間、復興推進課にて広報のお手伝いをします。正式な辞令に先立ち、ボランティアとして一月一六日から勤務を開始しました。

浪江町は沿岸部から北西にかけて長いひょうたん型をしています。ちょうど放射線の高濃度汚染地域と重なるような形になっていて、町域の約八割が帰還困難区域です。沿岸部を中心とした低線量地域は避難指示解除に向けて除染が始まっていますが、二〇一四年一月現在も全町民が避難しており、町役場もほとんどの機能が二本松市内の事務所に移転しています。

先日、公務の一環として役場職員といっしょに浪江町内に立ち入らせてもらいました。報道などで見聞きしてきた「被災地の風景」ですが、自分の目で見るのは初めてでした。

以下にいくつか記録しておきます。

・二本松市から浪江町沿岸部の津波被災地に行くには、町の北西部、津島地区という山あいの帰還困難区域を通っていく必要があります。この区域の立ち入りには通行証が必要。検問所のようなところがあり、その先のスクリーニングポイントで線量計を借りました。

・その帰還困難区域にある空間放射線量モニタリングポストのひとつは、９・８５６マイクロシーベルト／毎時を示していました。一方、避難指示解除準備区域である沿岸部は0・2から0・4くらいでした。

■ＪＲ常磐線浪江駅は海から五キロほど離れており、津波の被害は受けませんでしたが、駅周辺の商店街では地震によって倒壊した（しそうな）建物をあちこちに見かけました。通行の妨げになっているものを除いて手が付けられていません。

■一方で、外見上ほぼ無傷の建物もかなり残っており、原発事故がなければ今ごろ商店街はとっくに再興を果たしていたのではないかと思われます。そのあたりの線量は比較的低く、日中の立ち入りは自由な地域（ただし浪江町は独自に検問を設けている）です。が、伸び放題の雑草がそのまま立ち枯れた無人の町は、異様というか、ＳＦ映画のセットのような不思議な光景でした。なお、常磐線はいまのところ復旧の目処は立っていないとのこと。

■請戸港へ向かう道の両側には、雑草の海のなかに被災した車が点々としていました。この辺は田んぼだったそうです。道端に慰霊碑があり、その後ろには漁船がそのまま。そのとなりには行き場所の決まらないガレキが積まれたままでした。

港からすぐのところに請戸小学校があります。地震の影響も大きかったようで、体育館の床は大きく陥没。その校庭ではガレキの選別作業が黙々と行われていました。

■放射線量が比較的低い沿岸部では、今年一月からやっと本格的な除染が始まったそうです。でも除染で出た土やゴミは、中間貯蔵施設が決まるまでだれかの土地に置かせてもらうしかないので、まず住民合意が必要となります。

- 行きと同じスクリーニングポイントで線量計を返却。約六時間の滞在で累積被ばく線量は4マイクロシーベルトでした。また、ここで身体や車の放射線量を測り、必要があれば除染してもらいます。

「ふくしまを忘れない」というとき、それは三年たってもガレキがそのままとか、いまだに一五万人が避難生活とか、そういうことを知って「ああ、たいへんだな、気の毒だな」と感じることだけではないと思います。

原発の必要性について、震災後だれでも思いを馳せた一瞬があったはずです。「忘れない」ということは「考え続ける」ということ。原発推進でも脱原発でも、そう簡単には決められない難しい問題だからこそ、日本のエネルギー政策はどうあるべきか、すなわち日本をどんな社会にしていきたいのか、我々一人ひとりが自分の頭で考え続けることが、この国の将来にとって決定的に重要だと思っています。

二〇一四年二月七日

■言葉がないとき

少し考えればすぐわかる話なのに、ここに来るまでちゃんと認識していなかった事実がありました。ここの人たちは、助かったかもしれない人たちを「見殺し」にせざるを得なかったという経験をしてたということです。

最大高さ一五メートルの大津波に襲われた当日、ガレキの下から声が聞こえていた。でも日が暮れて二次災害を防ぐため捜索・救出活動を一時中断した。「明日の朝、必ず助けに来る」。そういってその場を引きあげた。でも翌早朝、原発事故で逃げなければならなくなった。次の日なら助かったかもしれない。でも逃げなきゃならなかった。助けられなかった――。そういう話を、こちらに来てから何度か聞きました。

避難を強制された人たちの、経済的損害はともかく精神的苦痛をどうしたら償うことができるのか。壊れてもいない自分の家を追われ、不自由な仮住まいに三年も耐えるという辛さ。家族や友人と離ればなれになる苦しさ。のみならず、救えたはずの命を救えなかったという無念さ。

言葉がないです。

最後はなんとかしておカネに換算するしかないけれども、おカネになってしまったとたんに今度は人々の分断が始まる。

ほんとうに、言葉が見つからないです。

ひとたび原発事故が起こって避難指示が出たらこうなる、ということ——ただ町が無人になって荒廃して、ということだけでなく、人間がどうなってしまうのか、ということ——を、全国の原発立地自治体はしっかり理解して備えをしてほしいと思います。原発を進めるならもちろん、なくすにしてもまだまだ時間がかかるのですから。

■南三陸と気仙沼へ視察にいった　二〇一四年三月一〇日

公益社団法人アジア協会アジア友の会というところが主催する、一泊二日の「南三陸を訪ねる復興スタディツアー」に参加してきました。参加の理由は、福島だけでなく宮城・岩手の津波被災地はどうなっているのか知りたかったから。

正直に言って、原発と放射能の心配をする必要がない宮城・岩手では、極端に言えば「壊れたものを直せばいい」のだから物事はシンプルだろうと、なんとなく思っていました。もうガレキの処理も終わったというから、少なくとも見た目は（福島の沿岸と違って）かなり復興が進んだ形になってるのだろう、などと勝手な想像もしていました。

でも違いました。

南三陸町の志津川地区は、家も商店もたくさんあった場所です。ガレキこそ片付いていますが、まだ新たな建物はありません。この辺一帯は七〇センチほど地盤が沈下したそうです（部分的に陥没したというより、沿岸部全体が海に引きずりこまれたという感じ）。

浸水した地域は基本的にかさ上げをすることになっていて部分的に盛り土が始まっています。しかし、この一帯をすべてかさ上げし、最後はその高さに合わせて道路も作り直すわけで、気が遠くなるような時間とコストがかかる作業です。

こうした浸水地域は、インフラが復旧しても居住用の家は建てられないことになっており、高台への集団移転計画が進められています。といっても実際には遅々として進んでいないような印象でした。

そもそも平野部が少なく、高台移転には山を切り崩さないといけないわけで、これまた途方もない時間がかかりそうなことは素人の目にも明らかです。仮設住宅の入居期間は当初二年の想定だったのが三年になり今では五年になったそうです。アジア協会のスタッフさんの話では、おそらく五年経っても高台移転ができる人は一握りなのではないかということでした。

待ちきれず、自力で家を修復するなどして沿岸部に戻った人も少なくないようですが、その地区が今後かさ上げされたら、自分の家が一段低い水たまりのような場所になってしまう可能性もあるといいます。

町の三階建て防災対策庁舎は全体が波の下になり、屋上に避難していた人もほとんどが流されてしまいました。これを震災遺構として残すかどうかは議論が分かれているそうです。

まだまだこれからという今、さらに悩ましいのは工事費や建設資材の高騰です。この日の『河北新報』の記事によれば、作業員の労務単価はうなぎ上り、災害公営住宅など自治体発注工事の入札不調が続いているほか、個人の住宅や事業所建設でも、坪単価が五〇万↓八〇万等に値上がりしているそう。東京オリンピックが近づけばさらに……という懸念は実感を伴います。

仙台市内などでは復興特需的なにぎやかさも感じられますが、沿岸部の多くはガレキこそ撤去されたものの、まだ「復興」という姿には程遠い状況。曲がりなりにも「町」といえる状態を取り戻すまでには、まだ相当の時間がかかることがわかりました。

それでも（福島と比べて）まだ救いかと思われるのは、漁業が復活していることです。もともと海産物の宝庫・三陸。いまはワカメと牡蠣が旬で、今回のツアーでもたくさんいただきました（私は残念ながら牡蠣は食べられませんが）。イチエフから流れ出る汚染水は、海流の関係で三陸までは達しない（むしろ南へ流れる）そうで、風評被害もさほどではないとのことでした。漁師さんが漁に出られないのは本当に気の毒です。福島でも早く漁が再開できることを祈るばかりです。

二日目は、ノアの方舟をかたどったという気仙沼のリアス・アーク美術館を訪れました。この美術館、あまり有名でないみたいですが、ここの「東日本大震災特別展示」は一見の価値あり。単に写真や遺物を並べただけでなく、その一枚一枚にていねいな説明がつけられ、その言葉にも「伝えよう」という意思が感じられます。全体を通じて「収集・展示のプロ」としての気概を感じるエキシビションでした。

宮城・岩手の被災地を訪れるスタディツアーはいろいろな団体が開催しているようですが、今回のアジア協会さんのは、勉強の部分と観光の部分がほどよくミックスされ、非常によく練られたツアーでした。

アジア協会さんは、アジアの途上国各地での豊富な支援活動の実績を活かして、三年前の震災直後から南三陸町に入り、以来継続的な支援を行ってきたそうです。現在のような一泊二日のスタディツアーは、一年ほど前から月一度のペースで開催しているとのこと。引率スタッフの方が行く先々で現地の人たちから信頼されていることは明らかだったので、この団体主催のツアーでなければ聞くことができない話や見ることのできない場所も見られたと思います。

望まれる支援というのは、単発のイベント的なものではなく、現地に何度も足を運んでそのニーズに耳を傾け、現地の自立につながるようなサポート活動なのですね。

「三陸海岸の津波被災地」と一からげにイメージしていましたが、南三陸と気仙沼といった隣同士の場所でも、島の有無や半島の向きなどわずかな地形の違いで被害の程度はかなり違うということも知りました。

ほんとうに、実際に行って現地で話を聞いてみないとわからないことは多いです。

■いわき、広野、楢葉、富岡 二〇一四年五月二五日

福島学構築プロジェクトが主催するスタディツアー、「福島エクスカーション」に行ってきました。同プロジェクトは、福島大学「うつくしまふくしま未来支援センター」特任研究員の開沼博さんがリーダーを務めています。開沼さんは『「フクシマ」論――原子力ムラはなぜ生まれたのか』などの著作でも有名。今回のツアーは、開沼さんとスタッフも含めて総勢二〇名くらいでした。いわき駅に集合して広野町〜楢葉町〜富岡町まで北上し、いわきに戻ってくるコース。

まず広野町役場で町の現状を聞きました。あのJヴィレッジがある広野町です。イチエフからは三〇キロ圏内で、旧緊急時避難準備区域。一時は全町民が町の外に避難しました。ただ、町長が出した避難指示は二〇一二年三月には解除されているため、いまでも町外にいる人たちはいわゆる「自主避難者」ということになります。除染もほとんど終わって「帰れる状態」のはずですが、帰町した町民は三割弱にとどまっているとのこと。

国の避難指示が続く浪江町などの他の町村では、数年後に指示が解除されたとしても果たしてどれだけの町民が戻ってくるか、予想に悩み苦しみながら「復興まちづくり計画」を作っています。が、広野町の数字を聞くとさらに厳しさを感じざるを得ません。

昼食のあと、国道六号を北上して楢葉町へ。楢葉は国の避難指示が継続中ですが、町内全域が比較的放射線量の低い「避難指示解除準備区域」なので、昼間の立ち入りは自由にできます。この町出身の福島大生M君の案内で、M君の自宅を見せていただきました。沿岸ではないので津波被害はなく、地震の損傷もないようだが、長期間住んでいないのでネズミの害がひどいとのこと（ほかの地域では、イノシシ被害も聞きます）。また盗難も頻発しており、ある時はなんと、庭の柿の木を根こそぎ盗まれたそうです。

楢葉町では、避難指示の解除時期をまもなく判断することになっています。指示が解除されても町に戻らなければ、自主避難ということになり、借上げ住宅の家賃補償などがいずれ打ち切られます。帰るか帰らないか、M君の家では家族の間でも意見は分かれているということでした。

さらに北上して富岡町へ。津波被害であまりにも有名になってしまったＪＲ富岡駅の風景ですが、自分の目で見ると改めて胸がえぐられる感じがします。ここには毎日多くの見学者が訪れ、すでにある種の「観光地」になっています。観光という言葉に拒否反応があるのは理解しますが、やはり広島の原爆ドームのように遺構として目に見える形で何かを残し、人が訪れる場所にすべきではないかと思います。

富岡町を離れた後は、現在東電の作業拠点となっているJヴィレッジをバスで一回りして、いわきに戻りました。

最後に、視察した内容を話し合うワークショップがあると聞いていましたが、向かったのはレトロな飲み屋街。飲みながらやるのかな、と思ったら、この中ほどの店舗二階にオフィススペースがありました。ここ「夜明け市場」は、被災した飲食店オーナーや復興を支援する起業家が集まり、シャッター街になっていたいわき駅前の「白銀小路」を利用して作った「復興飲食店街」とのこと。こうした起業家たちを支援するため、商店街の中にコワーキングスペースも設置されているというわけです。

ここで、ツアー参加者は四つのグループに分かれ、広野町や楢葉町が二〇二〇年東京オリンピックの年までにどんな姿になっているのが望ましいか、その実現には具体的に何が必要か、そして自分は何ができるか、などを一時間半ほど話し合いました。

正直、半日程度のインプットでは現実的な施策を考えられるわけがないですし、また九〇分という時間も短すぎますが、このワークショップの意義は、アイデアの実現可能性云々よりも、

「自分ごととして考える」時間を持つことだったと思います。視察して「あーたいへんねー」で終わるのではなく、何ができるか自分の頭で少しでも考えることは、こうしたスタディツアーにおいてはとても重要だと感じました。

他の参加者のみなさんとは半分くらいしか名刺交換できませんでしたが、研究者の方（それも原子力関係）が多かったようです。ほんとうに、いま福島でこの仕事をしていなければ出会うことのなかった人たちと、こうして出会えることが楽しいし、自分にあてられる物差しが増えて刺激になります。こうしてインプットを増やしながら、私自身、何をどうしたいかもう少しはっきりするまで、焦らず考え続けたいと思います。

それにしても、いわきは栄えていますね。せっかくだから一泊しようかと思ったのですが、一週間前の時点で市内のホテルはどこも満杯でした。

■被ばく線量検査をうけてきた　二〇一四年六月二八日

初めて、内部被ばく線量検査というものを受けてきました。二本松市が無料でやってくれるものです。

初めに四角い機械に一〇秒ほど入って体表面に放射性物質が付着してないか調べます。私は付着してなかったので、そのままホールボディカウンターへ。以前に立って測るタイプのを見たことがありますが、ここのはチェアー型でした。座面と背面から放出される微量のガンマ線を検出するんだそうです。

ここに約一〇分間座っているのですが、その間まったりした雰囲気のおじさん（放射線技師の人）から最近食べたものとか行動履歴とか聞かれ、余った時間でまったりと世間話をしているうちにピーと音がなっておしまい。

検出できるのはセシウム134と137です。ヨウ素は半減期が短いのでもう（事故から三年たった今は）検出されません。ストロンチウムやプルトニウムはガンマ線を出さないのでそもそも検出されないそうです。だから、正確には「セシウムによる内部被ばくの検査」ですね。二、三分でプリントアウトした結果が出てきて、いずれも検出限界未満でした。

こちらにきて約六カ月ほぼ毎日自炊、米や野菜はほとんど産直で買った県内産（プラス、たまに自家栽培のをいただく）ですが、食べ物からのセシウム被ばくは、ほぼないようです。あとは吸引による内部被ばくというのもありますが、私は山林の除染作業をしたり土埃の舞うグラウンドでサッカーしたりしないので、普段の生活ではこれも心配なさそうです。

二本松市は二〇一一年一一月から市民の内部被ばく調査をしていて、これまで一万八千人が受けて検出率は三％以下といっていました。このほか、一人ひとりがガラスバッジというのを一定期間着用する外部被ばく調査もやってます。昨年の調査では、全被験者（約六千人）の推定年間被ばく線量の平均は0・72ミリシーベルト。ただし最大では5・64という人もいたそうです。

外部も内部も被ばく線量は個人の行動様式によって全然違うので、どこそこの空間線量が何マイクロシーベルトだ、どの食べ物から何ベクレルが検出された、といって一喜一憂してもあまり意味がないんだなと改めて学んでいます。

■「ふくしまを忘れない」というとき　二〇一四年七月三一日

先週末、福島県内の複数の空間放射線量モニタリングポストの値が、通常の数百倍などに急上昇。すわイチエフで大事故かと思いきや、どうも猛暑のせいで機械が誤作動したらしいという、笑うに笑えないニュースがありました。

素人ながら、おいおい暑さで狂う程度のものなのか、と情けなくなったと同時に、「だから国のいう数字なんか信用できない、やっぱり福島は人が住んではいけない危険な場所なのだ」という主張が、またぞろソーシャルメディアで散見され、暗澹たる気持ちになったのでした。

世の中にはいろんな意見の人がいるのだから気にしなければよい、と思いつつも、なぜか心がざわついて、どうしてもスルーできない自分がいるのです。なので、思い切ってこれについて書いてみることにしました。福島に来て、復興に関係する仕事を始めてまだ七カ月、私の知見は非常に限られていますが、その範囲で考えていることです。

いま福島県内、とくに避難指示区域に隣接する市町村に住んでいる人たちの多くは、「それでも福島に住むことを選択した」人たちです。「国や東電にだまされて、危険なことを知らずに住み続けている、無知で可哀そうな人たち」ではありません。

福島県内では、原発事故処理の話、汚染水の話、放射線量の話は、文字通り毎朝毎晩報道されており、この三年間、多くの人が自分なりにデータも情報も収集し、調べて考え抜いてきたはずです。低線量被ばくの健康被害リスクについては、偉い先生方の間でも諸説わかれており、いまの状態を危険と思う人、許容範囲と思う人、両方いて当然でしょう。そしてどちらも、自分の意見を補強する情報しか目に入らない認知バイアスがかかっているのも、また仕方のないことと思います。

危険と感じる人が、福島を離れることは当然の権利です。しかし、離れないことを決めた人たちに対して「福島は危険だ」と煽ることに、果たしてどんな意味があるのでしょうか。「そんな危険なところに残っていてバカじゃないのか」「小さな子どもがいるのに逃げないのは犯罪だ」と言わんばかりの文章を読むと、どうにもやりきれません。

逃げたくても、仕事や介護などの都合、もろもろの理由で逃げられない人たちもいるでしょう。母子だけで遠くへ避難した世帯もありますが、そうして家族がバラバラになることのマイナス影響のほうが大きいと考えて、あえて家族一緒に「逃げない」選択をした人たちもいるでしょう。

なにより、被災した自治体の役場職員をはじめ、現場で町の復興・復旧を託されている多くの人たちがいます。彼らがいなければ、だれがガレキを片付け、雑草を刈り、害獣を駆除し、道路や水道を直すのでしょうか。だれが復興まちづくりを主導するのでしょうか。そして彼らにも家族がいるのです。

そもそも国があの一帯（例えばイチエフから二〇キロ圏など）を国有化して、帰還不可能な区域にするべきだったのだ、という主張には、私個人の意見として賛成です。ほんとうに、もっと早くに、事故の直後に、そうすべきだった。そうすることの激痛を避けたために、かえって傷は大きく広がり、痛みは途方もなく長引くことになってしまったように思います。

でももう引き返せない。「帰還」、つまり帰りたい人が帰れる状態にすることを目指す道を歩み始めたのだから、今はその道をなるべく短く平坦にすることを考えるしか、ないのではないでしょうか。

私自身は今回、好き好んで福島県の中通り、それも比較的線量が高いらしい地域に引っ越しましたが、リスクを感じないかといえばウソです。はっきり言って怖いです。でもそれは、毎日低レベルの放射能を浴びて、将来がんになるリスクが〇・何パーセントか上がるかもしれないのが怖いのではありません。また大きな地震が起きて、ボロボロのイチエフが今度こそ取り返しのつかない事故を起こすかもしれない。あるいは地震がなくても、人為ミスで重大な事故が起きる可能性は十分にある。その怖さです。つまり、現在ではなくて将来に対する怖さ。ちょっと揺れるたびにドキッとします。

でも、将来のリスクなら東京にいればまた別の怖さがある。結局、地球上どこにいっても一〇〇パーセント安全という場所はありませんよね。

私は、今ここでやることがあるから、今ここにいます。と偉そうに言っても、しょせん期間限定ですからお気楽なものですが、ここでは多くの人たちが、先が見通せない中で、大なり小なり怖さと不安と悲しみを背負い、折り合いをつけながら、今ここでやるべきことを黙々と、黙々と、やっています。

実際のところ、福島県の人口二〇〇万のうち、強制避難・自主避難をあわせた「避難者」は、一割以下の一三万人です。そのうち県外避難は、ピーク時でも六・二万人、現在は四・五万人(二・三%)にすぎません。残りの一九〇万人余りは、前向きか後ろ向きかは別として、「それでも福島に住むこと」を選択した(せざるを得なかった)人たちです。

今の福島がいかに危険か危険でないかという、決してかみ合わない不毛な議論ではなく、長期全町避難という多重悲劇を他所で二度と繰り返さないようにするためにはどうしたらいいか、その議論にこそ、みなの英知を集中できないものか。「ふくしまを忘れない」というのは、その文脈でこそ意義があるはずだと思うのです。

■だから、福島のコミュニケーションは難しい　二〇一四年一〇月一七日

ＮＨＫの全国ニュースでもやってましたね。今日発表された町民の帰還意向の調査結果で、「浪江町に帰るつもりはない」が半数になってしまったと。

報道、特にテレビのニュースとして切り取られるとき、いろんなものがそぎ落とされる。もちろん残るのはエッセンス、のはずだけれども、必ずしもそうではないと思います。どんな気持ちで「帰るつもりはない」にマルをつけたのか。「いずれは帰りたい」との違いはどこなのか。そもそも、「帰るつもりはない」人たちがなぜ、いまだに町からのアンケートに回答しているのか。ニュースでは、「帰るつもりはない」を「帰還を断念した」「あきらめた」と言い換えてますが、本当にイコールなのか。「帰るつもりはない」人たちがこんなにいるのに、実際に浪江町から転出した人たちは一割未満です。なぜか。ぶっちゃけ経済的な理由は大きいはずです。浪江町民＝被災者であればいろんな「恩恵」がありますから。でもそれだけなのか。

言葉を表面的に解釈するだけでは、もう実態はわからない。でも、多くの人に伝えるために

はなるべく簡潔にしないといけない。その過程で、どんどんそぎ落とされていく、なにか。

もうすぐ福島県知事選挙です。紅一点、いせきさんというコンビニ店長さんが立候補してますが、その選挙公報の中にこういう一文が。

「『事故があったって、福島は頑張ってこんなに復興しているじゃないか』とまるで第二、第三の福島が出ても大丈夫かのように扱われてしまうのでないか」

実際、福島は「事故があったって、福島は頑張ってこんなに復興している」とアピールしています。そうアピールしたい気持ちは、たくさんの県民が持っているはず。一方で、いせきさんのような感じ方もある。だから、「復興してます！」「復興なんかしてません！」という両方を使い分けなければならない。本当は文脈によるのだけれど、いちいち説明できない場合も多いから、一見矛盾したメッセージが出てきてしまう。

ほかにも、「早く帰りたい」っていってたのに、避難指示解除しようとするとなんで反対するんだ？　とか。「早く仮設を出たい」っていうから公営住宅つくったのに、なんでみんな入らないんだ？　とか。丁寧に説明しないと、当事者以外には一見矛盾だらけに見えてしまう事象が起きるのですね。

だから、福島のコミュニケーションは難しい、と思うのでした。

■一年たちました

二〇一五年二月七日

少し前になりますが、映画『日本と原発』を観てきました。昨年一一月から東京で上映が始まり、その後も各地で自主上映や有料試写会が継続しているようです。私が行ったのはシネマート六本木。定員一五〇人ほどの小さなシアターですが、超満員でした。以下は私の感想です。

「原発の真実」を暴露するといっても、弁護士さんたちが作ったドキュメンタリーということなので、もう少し客観的な、というか多面的なアプローチを予想していましたが、違う印象でした。二時間一七分は映画として短くはないですが、やはり「原発の問題」をぜんぶ網羅するのは不可能です。

たしかに、映像の威力はすごい。素人が全文を読み込むのは不可能な事故調査報告書や原発運転差し止め判決文、政府の内部文書や東電の記録映像などを、ダイジェストして絵と音声で解説してくれるので、素人の頭にもすっと入ってきます。しかし、原発は危険・不要、再稼働を許さない、という主張に沿った部分しか抜粋されていないので、観るほうはそういう理解で観ないといけません。

もちろん、東電をたたき、推進派の主張を論破するのを見て、ただ「溜飲を下げる」という観賞法もあるでしょう。が、原発へのスタンスを決めるため問題を一から勉強したいという目的であれば、この映画だけでは到底足りず、数々出版されている書籍類も合わせて読むべきと思います。

特に足りないと感じたのは、原発を受け入れた自治体側の事情です。そもそも、どうして日本にこんなに原発ができてしまったのか。地元はどうして原発を欲してしまったのか。そこに踏み込まないと、日本から原発をなくすことは不可能でしょう。仮になくなったとしても、「(東京のために)地方が犠牲になる」という構図は、別の形で繰り返されるだけではないでしょうか(とにかく原発がなくなりさえすればいい、という問題認識ならそれでも良いかもしれませんが)。

そして、この映画では、被災自治体としてなぜか浪江町だけが大きくフィーチャーされています。というより、被災地・被災者として紹介されているのは、ほとんど浪江だけ。あたかも浪江町が被災地の代表のように紹介されていることに、いまその自治体で手伝いをしている身としては少々違和感を覚えました。

今でも避難指示が継続中の一〇市町村は、外からみれば「原発被災地」として一括りかもしれませんが、事情はさまざまです。よく言われるように、実際に原発が立地していた町と、そうでない周辺の町では、事故前に受けていた「恩恵」の質量も、事故当初の状況も、そして現在の状況もかなり異なります。

そのなかで、浪江のストーリーだけが都合よく利用され、反原発のシンボルとして祭り上げられたようで、複雑な心境でした。もちろん、浪江町の立場は、いまでは原発再稼働反対です。しかし、立地ではなかったもののイチエフの恩恵がゼロだったわけではありませんし、実際、東北電力の原発を誘致もしていた。浪江も原発がほしかったのです。

また、一緒に映画を観た友人は、こういう感想を述べました。いわく、東電や安倍・自民政権といった「わかりやすい標的」の攻撃で終わっているが、根本には日本国民全体の「豊かになりたい」というあくなき欲望があって、そこを注視しなければ問題解決にはならない、と。その通りだと思います。

二時間という限られた尺で、「そもそも経済成長は必要か・豊かさとは何か・幸せとは何か」といった哲学的議論まで展開できないのは致し方ありませんが、相手を攻撃するだけでなく、自分の胸に手を当てるような場面が、少しでもあったらよかったかと思いました。

と、ここまで書いたのが約三カ月前。原発との向き合い方に悩み、ヒントになればと思ってこの映画を観ての感想文だったのですが、読み返してみると、「だから何をどうすればいいと思うわけ？」と突っ込みたくなりますね(笑)。

今月、浪江町役場で働き始めて一周年を迎えました。原発についての考え方は、実はまだ整理しきれていません。本を読んでも映画を観ても、被災地で一年間働いても、結局私は、「何をどうしていいかわからない」ままです。

でも、たとえ堂々めぐりになっても自分で考え続けるしかない。今年は、少しそのフォーカスを絞って、ピントを合わせる作業ができればと思っています。

■母の入院

二〇一五年六月二日

母、いま病院にいます。四月のはじめに入院して、この二カ月の間に二回、もうダメかもというときがありました。二回目は、もう楽になりたいという本人の意思確認をして、家族みんなとお別れしてモルヒネ打ってもらったけど、そこから奇跡的にカムバックしたのです。

再び目覚めた直後は、薬のせいかこんどは頭がおかしくなったかという言動がつづき、母が母でなくなっていく姿を見るのは、それはまた辛いものでした。でも先週あたりからやっと元の母らしくなってきて、といってもまだチューブがつながっていてベッドから出られませんが、だいぶ人間らしい姿に戻っています。この先どうなるかわかりませんが、なるようになるでしょう。


この間つくづく思ったことは、まず、治りそうもない病気になったとき、どういう治療をしてほしいか、何をしてほしくて何をしてほしくないか、元気なうちによくよく家族に話しておき、書面にも残しておくべきです。家族がいないなら、意思表示ができない状態で病院にかつぎこまれたとき、意に反したことをされないよう、書いたものを常に首からさげておくこと。

とはいっても人間、死ぬタイミングは選べません。一度病院に入ったら、死にたいと思ってもそう簡単には死なないし死ねないもんです。一方では突然死んじゃう人もいるので、それはそれで正直うらやましいなと思いました。

それに、死ぬのって辛いらしい。巷ではよく「幸福感に満ちた臨死体験」とか「死に直面して人はすべてを赦す」みたいなことを聞きますが、母に関する限り、その経験は全然違うものだったようです。目覚めた直後、頭が混乱した中で口にしたのは、怒りと苦しみと恐怖でした。いちばん苦しいときも意識はあったので覚えてたのでしょう。

死ぬこと自体はまったく怖くないですが、死ぬまでのプロセスはますます怖くなりました。

■ブログも荷物も引っ越します

二〇一五年九月二七日

東京を離れ、福島県浪江町役場で働き始めて一年九カ月。復興庁からの応援職員としての派遣期間は、まもなく一〇月末で終了します。でもその先もしばらく福島に残ることを決めました。ここ半年ほど、母の大病など家庭の事情もあり紆余曲折あったのですが、結果的には役場の任期付き職員となって、いましばらく復興のお手伝いをすることになったのです。そこでこの機に、東京のマンションに残してあった荷物をこちらへ持ってくることにして、あわせてこのブログもリニューアルすることにしました。

来て最初のころは月に一回程度、ブログ記事を書いていました。赴任してすぐ浪江町に行って、ひっくり返ったままの船やさびた新しかったということです。それだけ見るもの聞くもの自動車、そこここに集められたままのガレキの山、人の姿がなく雑草が伸び放題となった駅前などを見たとき、それはショックでした（ちなみに、一年半後の今ではガレキ類はほとんど片付いてます）。

ところが、何事もそうですが、これがだんだん見慣れてきます。そして、原発事故被災地のかかえる課題とは、そういう「いかにも」なビジュアルで語れるものなどほんの一部でしかないことがわかってきます。知れば知るほど、被災地からの発信というテーマで長い文章を綴ることが苦しくなってきていました。

根本的には私の力不足です。福島大学の開沼博さんが今年、『福島難しい・面倒くさい』になってしまったあなたへ」というコピーで『はじめての福島学』という本を出されましたが、まさにそれ。あえて言えば「面倒くさい」でなく「畏れおおい」に近いでしょうか。

放射線の話も賠償の話も避難指示解除の話も、もちろん公務員としてソーシャルメディアで書けることと書けないことがありますが、それ以前に、数百字程度の短い文章では伝えるべきことがちゃんと伝えられない。でもちゃんと伝えるにはものすごくいろんな説明が必要で、かといってもちろん自分も全体が見えているわけではないし、もっともっと調べなきゃ……と逡巡しているうちに、家族にも友人にも何をどう伝えたらいいのか、自分でもわからなくなってきたというのが本音です。

なので、「被災地の現状を伝える」というミッションは当面、仕事の上だけに限定することにして、新しいブログでは日常生活の話をメインに綴っていくことにしました。

日々の記録と同時に、地方暮らしに少しでも興味のある人にとって、それも二年前の私のように東北の被災地へお試し移住を検討している人にとって、なんらかの参考になったらといいなと思っています。

・・・・・・・・・・・・・・・

■いよいよ東京の拠点がなくなった

二〇一五年九月二八日

引っ越し業者の予約は八〜一二時という枠だから八時に来ても文句は言えない。と思い早起きしたが、来たのは一〇時半。一一時半過ぎに搬出完了。一二時少し前に、このマンションの賃貸管理をお願いするC社さんが来て鍵の引き渡し。三階のわりに意外と見通しの良いこの眺望も、いよいよ見納めだ。と思うと今更ながら少々寂しい。

それにしてもこの部屋、ワンルームながらＪＲの駅から徒歩二分、平成築ならもう少しいい値段で貸せるかと思ったが、イマドキはそんなものか。ただ、売るときも貸すときも、変な欲をかかずに値付けはプロに任せることにしている。五十路の地方移住は、やっぱり勢いだけでは難しい。不動産収入という不労所得があることで、必要以上に焦らなくて済むと思う。

引っ越し先は福島県二本松市のアパートだ。既に入居して一年九カ月になるが、当初は一年少々の「期間限定移住」のつもりだったから、東京のマンションはそのままにしておいた。二本松の方では家具や家電は必要最低限をレンタルで済ませ、意外と耐えられるもんだなと思っていたが、やはり本格的に引っ越しをして「自分のもの」に囲まれると気分的に落ち着く。自他ともに認める断捨離スキルのおかげで、荷物はミニマム、引っ越しなど楽々、と言いたいところだけれど、それがそうでもなかった。四季のない国に住めばもう少し身軽になれるのに、などと思いながら荷物を解いているうち、気が付けば四時過ぎ。東京からはるばる連れてきた愛車の二輪（自転車）で日が高いうちに福島のロードデビューと思っていたが、あわてて四輪の愛車で二本松市役所へ。

昨年二月、こちらで仕事を始めた時に一度転入したが、その後いろいろあって今年二月に転出し、このたびまた転入。こんどは少し落ち着けるかな。

■やっと会えた！　二〇一五年九月三〇日

私は昨年から、福島県の原発事故被災自治体のひとつ、浪江町役場で働いている。体裁としては復興庁からの派遣職員だが、そもそものきっかけは在京のＮＰＯ法人が出した求人情報だった。

当時の私は東京でサラリーマン生活二十数年目。四十路も終盤に差し掛かり、なんとなく煮詰まり感を持ち始めていたところ、東日本大震災の被災地で復興に努める諸団体へ、首都圏から右腕人材を送り込むというプログラムを知った。一度は地方に暮らしてみたいと思っていたこともあり、話を聞きにいったら、浪江町役場で広報支援、というポジションがあるという。

これなら自分のスキルが多少なりとも役に立ちそうに思えた、というより、詳細を読めば読むほど「これは私のために用意された仕事ではないか」という気がしてきたのである。その後、応募から採用までいろいろ手続きがあって三カ月ほど要したのだが、その間、たまたま別の企業への転職話も同時に持ち上がり、多少の迷いはあった。

いや、迷ったふりをしていただけで、おそらく自分のなかでは最初から福島行きを決心していたんだと思う。それで私はいま、役場が避難先の二本松市に建てた仮庁舎でお世話になっている。

民間のスキルを復興の現場に生かすという主旨のプログラムはほかにも複数あって、いまやいろんな人材が復興支援の名目で福島に入っている。

で、今日はやっとYさんと会えた！　前職でお付き合いのあった彼女は、いま別の被災自治体の復興支援員として、地域全体の教育復興のお手伝いをしている。某ウェブサイトでインタビューされているのを見かけて連絡をとり、会おうとしてすれ違うこと二回。今日は三度目の正直だった。

彼女は私より二回り近く年下だが、前職をやめて東北にかかわり始めたのが私とちょうど同じ時期だったことが判明。二本松市内の居酒屋にて（二人とも運転のためウーロン茶で）盛り上がった。

ちなみに私も今日、Yさんが出ていたウェブサイトの同じコーナーに登場するため取材された。仕事柄、取材することはあっても取材を受けるという経験はめったにないが、質問に答えることが頭の整理にもなるので、基本的にはありがたく受けることにしている。

インタビューは現在の仕事の話から、必然的に「派遣期間終了後」の話になった。全体的に復興人材についてはそういう時期に来てるのだろう。私の話が果たして「これから東北に行こうか」と考えてる人の背中を押すことになるのかどうか、微妙ではあるが、でも迷っているなら来たほうがいい、とは思う。

私も、近い将来「サラリーマンという安定した身分」を手放すことになる可能性が高い。不安がないといえばウソだが、それはたぶん、単に経験がないから、だと思っている。

■天然の栗は小さいのだ　二〇一五年一〇月五日

こちらではアパートの周りをよく散歩する。周りは田んぼが多く、少し歩くとこんもりとした林の中を通る道がある。

昨日はその道を散歩中、栗がたくさん落ちているのを発見。人生初の「栗拾い」というものをする。さっそくゆで方を調べた。昨夜から半日浸水して一晩ゆで、そのまま夕方まで冷まして、とけっこう時間がかかる。さて今日の夕飯の楽しみに、と皮をむこうとしてみたが……。

天然の栗は小さい。大きいのでも直径二センチあるかないか。包丁で半分に切って皮をむくといっても、小さすぎてむけない。なんとかティースプーンですくって食べるとたしかに栗の味はする。が、疲れる。作業量のわりに可食部が少なすぎ。結局半分食べて残りはあきらめた。

栗に限らないが、売ってる果実は往々にして「不自然」なサイズなのだと改めて思う。

ちなみに、この辺の栗からはいまでも放射性物質の基準値（１０００ベクレル／キロ）超えが出ているみたいだ。昨秋も道端で拾った柿で干し柿づくりに挑戦するといったら、周りの人に「干すと放射性物質が凝縮されるんですよ」と忠告された。でも、野生の柿でも栗でも食べる量といったらわずかだ（一キロも食べたら別の理由で身体を壊す）。私にとっては、初めてのことへの好奇心のほうが勝る。

■この世は夢のようなもの

二〇一五年一〇月二六日

週末は帰京、実家で過ごした。二カ月前に母がやっと退院したと思ったら、こんどは父が一週間の検査入院だ。母はまだ一晩一人にしておける状態でないので、弟と交替して二日ほど泊まり込み。これが一人っ子だったらほんとに大変だと思う。

母は入院中の薬が原因なのか、あるいは四カ月も病院のベッドで昼夜がわからない生活していれば誰でもそうなるのか、短期記憶の喪失がどうも治らない。最近では、実際に起きていることを頭では理解しているが、すべて現実ではないような、夢を見ているような心地なんだそうである。

それってもしかして「悟り」じゃないか（笑）。

一度死にそうになって生き返ったけど、実は自我が消滅して仏さまになったのかもしれないよ、と言ったら、最初は面白がっていたが、やっぱり悟りなんか開かなくていいそうだ。

しかし自分が一人でこういう状態になったらどうするんだろう。延命治療の拒否や臓器提供なんかは、見つけやすいところに書いておけばいいだろうが、認知は厄介だな。我ながら娘がいたらなにかと便利だろうな、とは思うがもう手遅れだ。でも子どもがいたからって頼りになるとも限らない。

八〇歳まで健康でいて、それをすぎて病気になったら、医者にかからずそのまま死にたい。

■帰りたくない

二〇一五年一〇月三〇日

早いもので一〇月も終わり。本格引っ越しから一カ月。

そして今日、浪江町役場における私の仕事もちょっとした区切りを迎えた。来月からは若干身分が変わって課を異動する。でも、町の現状を効果的効率的に伝えるというミッションは変わらず。日々の業務もほぼ同じ。席も二階から一階に移るだけ。なのに、花束なんかもらってしまった。両手いっぱいのバラなんて最後にもらったのいつだろう。どんな理由でも花をもらうってうれしいものだ。

この四月、母が大病して生死の境をさまよった。その頃は毎週末に帰京、私の地方暮らし体験もここまでかと観念し、役場には任期満了に伴う退職を告げ、再び東京の就職先探しの準備を始めたのだった。ところがその後、母はものすごい生命力で危機を脱し、リハビリを経て八月に退院できることになったのである。

この時点で私は、どうしたものかと考えた。ハッキリいって、五〇過ぎてからの転職はそんなに簡単な話ではない。かなり本気になって力を入れないとダメだ。なのに、何通か履歴書を送る際のカバーレターを書いてみても、なんとも気持ちが入らない。転職エージェントとも何人か面談したが、やっぱりその「気持ちの入らなさ」が伝わったのだろうか、具体的な話はほとんど来なかった。

そんなある日の夕刻、工業団地の丘の上にある役場仮庁舎を出ると、遠くに安達太良山を望む広い駐車場の上に、広い広い夕焼け空が広がっていた。

「ここにいたい。東京には帰りたくない」

全身の細胞がそう叫んでいた。そうとしか、このときの感覚は表現のしようがない。

この時点で役場は私の後任を募集し始めていたのだが、結局そこに私自身が応募し直す体で、「続投」させてもらうことになったのである。そんなわがままな応援職員に花束までいただき、恐縮至極。

あともう少しがんばります！

■選挙というもの

二〇一五年一一月一六日

この週末、福島県議選と浪江町長選がひっそりと行われていたのをご存じだろうか。マスもソーシャルも、メディアはパリの爆弾テロの話でもちきりだし、そもそも県外の人にはほとんど関心がない話だろう。

いや、県内の人ですら多くが無関心だったと思う。県議選の投票率は過去最低の四七・七％だったそうだ。ちなみに町長選の投票率も六割に届かなかったが、全町民が全国に分散避難してるなかでは致し方ない数字なのかもしれない。

さてこの選挙、私も地方公務員として初めて投開票の事務に少し携わった。それで、思ったこと。

日本では、すべての成年男女に投票する権利が保証されていて、その投じた一票が間違いなくカウントされることが、制度として担保されている。どんなに小さな町や村でも、その手続きは法律に基づいて厳正に行われている。それが当たり前のように粛々と行われているのだ。

でも世の中を見渡すと、それが当たり前じゃない国はたくさんある。日本がいまの状態を獲得するために、どれだけの人たちの文字通り血と汗と涙が必要だったか。初めてそんなことに思いが至り、少々胸がつまったのだった。

選ぶほうも選ばれるほうも、私たちが手にした（はずの）民主主義っていったい何なのか、もういちど思い返したほうがいいのではないか。と同時に、日本を含む西側諸国の至上の価値観である「民主主義」が、本当に人類が仲良く暮らしていくために最善の「社会の治め方」なのか、常に自問すべきと思うのだ。

■あなたはお医者さんを信じますか

二〇一五年一一月二五日

先週、脚の筋肉をいためて寝られないほど痛くなってしまったので、医者にいった。これまで大した病気もケガもしたことなく、めったにお医者さんの世話にならないのが自慢であったが、あんまり痛い場合はしかたない。

イナカにいくと病院のチョイスは限られる、と思うかもしれないが、「ちょいイナカ」くらいの二本松市内には、ふつうの町医者ならどの診療科もそれなりの数ちゃんとある。今回はネットで調べた近所の整形外科にいったら、その場でＭＲＩ検査までできたので驚いた。入院や手術までできる病院、いわゆる二次医療機関も、車で一〇分圏内にいくつかある。

原発事故で国の避難指示が出てる地域の住民は、指示が解除されたら帰るかどうかという質問に対し、「近くに医療機関がないと不安で帰れない」という。

若い人にはピンとこないかもしれないが、五〇の声を聞くころになると、健康なつもりでも少しずつ身体が変調してきて、お医者さんはじわじわとありがたい存在になってくるのだ。もっと歳を重ねて多少やっかいな病気にかかる率も高くなれば、「大きな病院」が近くにあるに越したことはない。

世の中には、西洋医学を否定して自然療法とか代替医療にのめりこむ人たちもいる。私もどちらかといえば西洋医学を否定する、というより「限界を感じる」派だが、本当に痛い苦しいとなると、やっぱり薬や外科治療に頼るような気がする。

この春、母が大病して非常に苦しみ、四カ月半も病院のお世話になったが、何本ものチューブを身体に突っ込んで、あの瀕死の状態から生還させてくれた西洋医学は、結果としてはまったくスゴイものだと言わざるを得ない。

チューブを突っ込んで助けてくれるような医者がいない本当の「ドイナカ」に暮らすなら、食養生と薬草のお手当てをマスターするのはもちろん、身体の痛み苦しみを超越できる精神修養が必要なんだな、と思う今日この頃である。

■雪を好きになれる方法ありませんか

二〇一五年一一月三〇日

先週、まだ一一月なのに雪が降った。福島に来てもうすぐ三回目の冬。去年の初雪はもっと遅かったような気がする。ここ中通り地方は、南会津のような豪雪地帯の比ではないが、それなりに降るので除雪グッズは必需品だ。スコップ、長靴はマスト。車に積もった雪をおとす専用の道具（スノーブラシというベタな名称）も、こちらに来て初めて見たが安いわりにけっこう優れものである。

実は二〇一四年一月に福島に来た当初、どうせ短期滞在だから、こうしたグッズをそろえるのはもったいないと思って、チリトリ（スコップの代用）と雑巾（ブラシの代用）でしのぐ予定だった。そこへ、あの二月のドカ雪。東京でも二週連続でかなり積もったらしいが、ここ二本松も平地で腰の高さの積雪は三〇年ぶりとかで、除雪車は遅いし、あっちこっちでたいへんなことになった。当然、我が家も我が車もチリトリと雑巾では太刀打ちできず、他人様のお世話になったのであった。

あれから一年九カ月。雪雲というのも見てわかるようになってきた。今日も山のほうには雪雲がかかっている。ウィンタースポーツをする人ならワクワクの季節の始まりだろうが、私は寒いのも日が短いのも大嫌い。憂鬱な季節の始まりだ。

でも、そんなことばかり言っていられない。こちらにいる間はなんとか冬を積極的に楽しめるような趣味を見つけなければと、思ってはいるのだが。

■おひとりさまの家さがし（その1）

二〇一五年一二月六日

不動産を探し始めた。もうしばらくこちらに住むなら、賃貸ではなく自分の家を持ってもいいかと思い始めたのだ。三〇代のころからほそぼそとサラリーマン大家を続けていることもあり、なんとなく東京以外の不動産市場にも興味があった。

イナカだから全体的に家は余っている、とイメージしがちだが、いま福島県内はピンポイントで不動産市場がかなりひっ迫しているという。新幹線のとまる郡山、福島。沿岸は復興の最前線いわき、南相馬。こうした「人気エリア」は特に、売買も賃貸も市場に出ている物件数が本当に少ない印象だ。「福島は人口減少がつづいている」というイメージは、県全体としては確かに正しいのだが、福島県も広い。場所によって事情はかなり異なるのである。

事故後に県外に避難した人たちは徐々に県内に戻ってきているのが現状だ。強制避難させられた人たち向けには、早く仮設住宅から出られるように県内に復興公営住宅というのが建設されてるのだが、できるのがあんまり遅くて、業を煮やして自分で家を買ったり建てたりする人もけっこういる。

元いた地域には戻れない・戻りたくない人たちが、上記四市をはじめとする一部の地域に固まり始めているという感じだろうか。それに加えて、除染・復旧工事関係者はもちろん、私のように復興支援で外から入ってきている人もたくさんいて、そういう地域ではいま、住宅はまったく「余っていない」のである。

数字を調べずに印象だけで書いて申し訳ないが、売り物件が少ないのは実際に探し始めてみての実感だ。「いい出会い」を気長に待つしかない。

■しんじ君の入院

二〇一六年一月五日

地方＝車社会では、人との待ち合わせ場所は街中の駐車場だったりする。

一二月下旬のある日も、某ホームセンターの駐車場に愛車しんじ君※を置いて友人の車に乗り換え、ランチに出かけて二時間後に帰ってきたら、女性と警察が待っていた。その女性、バックでぶつけてしまったといって、大変申し訳ながっている。

（※筆者は音楽家の原田真二さんのファンのためこのように命名）

しんじ君はたしかに左前が少々ペコリとなり、全体が心もち傾いでいた。彼女もわざとやったわけじゃないし、腹を立ててもしょうがない。それどころか、当て逃げしようと思えばできただろうに、ちゃんと警察を呼んで私が戻るまで待っていてくれたなんて、かえって感動すら覚えてしまった。やっぱり福島の人はみんなやさしい、と変な普遍化をするつもりはないが、実際こちらで道を走っているとみなさん運転マナーがとてもよろしいのが実感である。

幸い、凹んだしんじ君の走行には当面問題なさそうなのでそのまま修理にもっていき、相手の保険会社ともすぐ連絡がとれて、すべてはスムース。レンタカーしてくれた代車はハイブリッドの普通車で、悪いけど一三歳の軽自動車しんじ君の数ランク上である。数日後に予定していたいわきへの旅行は、おかげで快適なドライブとなった。

少し前の故障修理中に車屋さんに出してもらった代車もたまたま立派な新車でラッキーだっ

たが、一週間くらいかかるといわれた修理がわずか一日で終わってしまい、シンデレラ生活はすぐに終わった。

今回は年末年始を挟んだこともあって、しんじ君は三週間近くたった今もまだ入院している。早く帰ってきてほしいような、ゆっくりしてきてほしいような(笑)。

■たかがCM、されどCM

二〇一六年一月八日

ちょうど二年前、いまの賃貸アパートに入居した翌日だったか、まだ荷物も片付かないうちに玄関がピンポンと鳴り、NHKの人が立っていたのには恐れ入った。当時はまだ東京のマンションを引き払っておらず、一人で二カ所居住状態だったから、「一度に両方では絶対見られません!」と事情を説明して福島のほうは免除してもらった記憶がある。

ちゃんと受信料払っているから、というわけではないが、大人になってから見るテレビはもっぱらNHKだ。民放のバラエティ番組などはあんまり面白いと思わないし、なによりコマーシャルがうっとうしい。

でもこの正月明け、たまたまどこかの民放番組が面白くて一時間以上見続けた。すると当然コマーシャルが頻繁にはさまる。久しぶりに見るコマーシャルって、実はけっこう新鮮であった。いろんな資源と手間暇とプロの技が凝縮された一五秒。まさに「作品」だなあとあらためて感心するものもあった。

そういう大手広告代理店の手による車とか食料品とかの華やかなＣＭに交じって、ローカルでしか流れない地元企業の「動かないＣＭ」が出てくる。この二つのギャップがまた新鮮だ。

ＮＨＫ福島のニュースでは、天気予報と同じノリで、「それでは今日の各地の放射線量です」というコーナーがあって最初はおどろいた。東京の新聞では福島第一原発が事故後どうなっているかなど、もうほとんど報道されないだろうが、福島の地元紙にその話が載らない日はない。沖縄の地元紙に米軍基地の話が載らない日がないのと同じだ。

東京を離れて「別の場所に来たな」と感じる機会のひとつが、こういうメディアの情報の違いに触れたときである。ローカルＣＭは見逃していたが、それも地方暮らしの「味わい方」のひとつかもしれない。

■おひとりさまの家さがし（その2）

二〇一六年一月一四日

「蔵のまち」といえば福島県では喜多方が有名だが、実は蔵のあるお宅自体はここ二本松あたりでも大して珍しくない。ただしそのメンテナンス状態はピンキリで、大きなものだと改造していわゆる蔵カフェになってるところもあるし、住居や倉庫として現役で活躍してそうなものから完全に廃墟状態のものまで、実にさまざまだ。が、いずれにしても先祖代々の土地だということはよくわかる。

東京からUターンしたジモティ君に聞いたところによると、イナカの常識として、男子たるもの、受け継いだ土地に建物をひとつ増やして一人前なんだそうだ。一代目で母屋、二代目で離れ、三代目でお蔵。四代目は何を建てるのか知らないが、なにしろ相当広い敷地でなければならない。

さて、私の家探しは、せっかく地方に来たのだから都心では絶対買えない一軒家、が第一希望である。ただし、おひとりさまにとって蔵が建つような広い土地は維持管理が大変だ。余計な税金も払いたくないので、せいぜい敷地は一二〇平米、延床は八〇平米以下でよいのだが、そんな「極小物件」を見つけるのは至難の業だということが、だんだんわかってきた。

まあ、土地が広ければ小さな畑でもやるとして、手ごろなサイズのお家が出てくるのを気長に待つ気はあるのだが、新築も中古も、そもそも市場に出てくる物件数が首都圏より断然少ない。ということは数をたくさん見ることができない。

そこで、慣れない一軒家よりまずは経験のあるマンションでローカル相場を勉強することにして、先週末は久々にマンション見学に行ってきた。一つは中古、一つは新築。それぞれの営業マンに聞いた福島市・郡山市のマンション事情を、自分の記録がてら次回に書いてみようと思う。

■おひとりさまの家さがし（その3、マンション編）　二〇一六年一月一九日

私が家を探しているエリアは、新幹線がとまる福島または郡山（ちなみにいま住んでいる二本松はそのちょうど中間）。いずれも人口は三〇万前後の中都市だ。よほど贅沢を言わない限り、衣食に関してはふつうに東京と（ほぼ）同様の生活ができる。

いわゆるイナカ暮らしを望んでいるならもっと辺鄙なところはいくらでもあるが、大草原の小さな家風の自然に囲まれた生活は、はっきり言っておひとりさまには不可能である（と思う）。それに、年老いた両親が東京にいるとなると、いざというとき新幹線に飛び乗れるほうがやっぱり好ましいのだ。

で、この福島駅や郡山駅の周辺なら企業もそれなりに集積しているから、マンション市場もそれなりに活発だろう、と期待したのだが、探し始めてすぐガッカリした。まず、エリア選定のみでネット検索して出てくる中古の売り物件数が一ケタである。それに他の条件を加えて絞り込むと、先々週の段階で福島市内では一件しかヒットしなかった。

もちろんネットに載らない物件もあるはずだが、まずは不動産会社にコンタクトしてみないと始まらない。とりあえず内覧を予約した。当日その福島駅前のマンションに行ったらすでに前の客が申込みしたとのこと。まあいい。これでかえって気が楽になり、いろいろ質問できた。

まず、この地では新築マンションの供給が少ない。かのバブルの頃はどうだったか知らないが、今では年に一棟出るか出ないかだそうだ。その理由は簡単で、仕入れができない、つまりまとまった土地が出ないから。さらに郡山と福島を比べると、福島のほうが古くから住んでいる人が多くて、より「閉鎖的」（営業マン談）。いわゆる先祖代々の土地を手放したがらない傾向が強いので、福島のほうがさらに物件数が少ないんだという。

利用してない家土地であっても、なかなか他人に貸したがらない・売りたがらないというのは全国のイナカに共通する傾向らしいが、加えて復旧・復興真っ最中のフクシマにはこのところいろんな種類の人々が入ってきているから、なおさら構える地主も多いのかもしれない。

新築は少なくても中古なら出るのかというと、これもそうでもない。たしかに郡山あたりでは、震災・原発事故の後、おそらく県外に移住を決断した人たちだろうか、三年目くらいまでは売り物件が多少増えたそうだ。が、それらが一巡した今は、動きが止まっている状態のようである。

ということで、その営業マンにはいちおう希望の条件を伝え、午後からは郡山の新築マンションのモデルルームへ向かった。モデルルームなんて十数年ぶりだ。オプション満載・生活感ゼロの美しい空間にときめいた昔がなつかしい。

ここでもいろいろ興味深い話が聞けたが、なにせ現在売り出し中は二棟しかない。調べればすぐ特定できるので、ここで詳細を披露するのは差し控えるが、とにかく今は売り手市場なんだね、ということは確認できた。

売り手市場になっている理由としては、もともと供給が少ないところに加えて、昨年あたりから顕著になってきたトレンドがあるという。原発事故で沿岸部から強制避難させられて仮設住宅などに住んでいた人たちが、帰るのをあきらめて中通り地方に家を建てたり買ったりし始めているのだ。

なんともやるせない話だが、たとえば川内村の避難指示がやっと解除されて帰れるようになったとたん、村の人たちが中通りに家を買い始めたという。もっともこれも営業マンの話だから多少誇張はあるにせよ、指示解除になって戻ってみたら「やっぱりここには住めない」と、かえって踏ん切りがついたという人がいても不思議はないと思う。

いままだ八町村に継続している避難指示がこの先順次解除されていけば、同様の現象が起こるのかもしれない。

■人生すべて、周囲の理解とタイミング

二〇一六年一月二六日

先週、またもや父が入院した。去年は母が四カ月半も入院し、一時は危篤に。その間ほぼ毎週末二本松と東京を往復して、ＪＲには数十万を支払った。ほかにも駐車場代やタクシー代、

それに帰省中は自宅で自炊するのとわけが違うから、なんだかんだで食費もかかる。親に会いに行くのにお金を惜しむわけではないが、現実問題として、離れた場所にいる親の面倒を見るのはそれなりに経済的負担となる。

私が地方暮らしの場所に福島県を選んだのは、第一にはたまたま仕事があったからではあるが、やはり東京に近いという理由も大きい。これが同じ東北の被災地でも岩手の北の方だったりしたら、おそらく移住には踏み切っていなかったと思う。

四〇代も後半になれば、友人との会話もだんだん自分の健康と親の病気の話題が多くなり、変な時間に電話が鳴れば「いよいよ来たか」と覚悟を決めるようになる。といっても、私が二年前にお試し移住を始めたころ親はまだ元気でいてくれたので、「親が倒れて駆けつける」というシチュエーションは頭ではわかっていても現実感は薄かった。

というか、元気だったからこそお試し移住もできたわけで、もし決断が一年半遅れていたら、いま自分は福島にいなかった。こんなたくさんの人に会うこともなかったし、こんなに人へ伝えたいこともなかっただろう。そういう意味では、あのタイミングで決断しておいて本当によかったと思う。

人生、そういうタイミングって何度かあるものだ。

それと、単身移住の可否を決めるのは兄弟の存在である。自分の場合、ありがたいことに弟が親の近くに住んでよく面倒を見てくれるので、勝手な姉は「お試し移住」とか言っていられる。

幸い、今回の父の入院は大したことなく一週間で帰ってきてくれた。残念ながら親は歳をとっていく一方なので、これからもあわてて新幹線に飛び乗る機会はあるだろうが、運よく福島にちょうどいい家が買えたら、一度くらいは連れてきたいものだ。

■見てるのに見えてないもの

二〇一六年一月二八日

みなさんは水道や電気、ガスなどの公共料金の支払いはどうされているだろうか。私は全部クレジットカード払いにしてちまちまポイントを貯めていたのだが、二本松に引っ越してきて驚いた。クレジット払いができるのは電気料金だけ、だったのだ。ガスは銀行引き落としのみ、そして水道料金に至っては、なんと銀行の窓口に支払いにいかなければならないという。あり得ないでしょ、いまは昭和か？　最初の請求書を受け取ったときは、真剣に目を疑った。

いまの職場は工業団地の真ん中だから、歩いていける距離に金融機関の出先などない。ということは、水道料金を支払うためだけに、昼休みに車で片道一〇分かけて一番近い地場の銀行の窓口まで往復しなければならないのだ。この辺の人はみんな平日昼間ヒマなんかい？　などと憤っていても自分が辛いだけだ。水道料金は東京より二割くらい安いし、夏でもキンキンに冷たくておいしい安達太良の伏流水である。このくらいの手間は我慢するべし、と自分に言い聞かせ、律儀に銀行窓口に出かけていた。

と、今月の請求書を見ると、とうとう「コンビニでのお支払いができるようになりました」の文字が！　ああ、この日を待っていた。市役所さんありがとう！　念のため市のサイトをチェックしてみると、あらまあ、実は昨年一一月末発行分からコンビニ払いできるようになっていたらしい。習慣とは恐ろしいもので、請求書が来ても「……できるようになりました」の文字が全く目に入っていなかったのだ。

こういう「見てるのに見えてないもの」は、きっと他にもたくさんあるんだろう。

そういえば昔、シャワーを浴び終わったあと、ふと浴槽に目をやると中にゴキブリが鎮座しているのを見つけたことがあった。もしバスルームに入ったとたんに彼を視認していたら、シャワーを浴びることはできなかっただろう。見えてないものは存在しないのと同じなのだと、そのとき悟った次第である。

でもねえ、この「できるようになりました」の文字、赤色とかで印刷してくれたらもっと目立ったのにね（笑）。

■おひとりさまの家さがし（その4、とりあえずおしまい）　二〇一六年二月二九日

ひとまず終わっちゃいました。

前回、郡山と福島でマンションを見に行った話を書いたが、そのとき相手をしてくれた不動産会社から、ほどなく別の中古マンションの紹介があった。福島駅から徒歩五分。数日後に見に行って、ほぼ即決だった。売りに出たばかりの物件で、ネットには載る前だったらしい。おそらく、いま福島県内の中古市場はこのくらいのスピードで売買が行われているんだろう。

私としてはこんなに早く買わなくてもよかったし、そもそも一軒家志望だったのに、なんかおかしいな、と思わないでもないが、不動産との出会いはお見合いみたいなもの。直観とタイミングが大事なのだ。

思えば、二〇代後半で実家を出てからこれまで賃貸を含めて七回ほど引っ越しをしているが、どの場所も物件も、決めるまでにさほど長々と迷った記憶がない。他にほとんど選択の余地がないというケースもあったが、それでも後から「失敗したな」という悲しい気持ちになったことがないのは幸せである（かなり認知バイアスも働いてると思うが）。

今回も、もちろんパーフェクトではなかったけれど、物理的条件は八割方満たしていただけでなく、前のオーナーさんがとてもいい人だったこと、それから他の住人さんたちが仲良くやっていて管理組合がきちんと機能しているらしいことが、決め手であった。

もちろん、東京の親になにかあったとき、すぐ新幹線に飛び乗れる便利さは大きい。駅徒歩五分で周囲は適度に都会でありながら、かつ窓からは吾妻連峰の山並みが見えて、「ここは東京じゃないぞ」とリマインドしてくれるのもいい。とりあえず、しばらくはここに落ち着くことを決めた。

引っ越しは混雑する三月を避けて四月初めの予定。

■福島のコミュニケーションのジレンマ　二〇一六年三月七日

五回目の三月一一日が近づいてきた。

福島第一原発事故の経験を風化させない／後世に伝える、ということは、強制避難を経験した自治体がみな言っている。その方法としては、自分たちで記録誌を作ったり、語り部を育成したり、アーカイブ施設を作ったりするのもいいが、報道を通じて全国に現状を伝えることも大きな力がある。

全国メディアは、短い尺の中で全国民にとって効果的な訴え方を追求するから、多少のセンセーショナリズムもあるし言葉足らずになるリスクもある。が、それもこれも承知のうえで、そのリーチとインパクトに期待して、どの自治体も取材にはできる限り協力していると思う。ふだんの報道が減っているから、今の五周年企画オンパレードはある意味チャンスなのだ。

けれども、ここにジレンマがある。そのメディアの切り口に沿って原発事故の悲惨さ・不条理さを訴えようとすれば、それが当の町の首を絞める結果になりかねないのだ。

「これだけ放射能で汚染されました、人も社会も破壊されました、五年経ってもこんな状態です、復興はまだこれからです（だからまだまだ支援が必要、だから原発事故は恐ろしい、再稼働の前にこの経験から学んでほしい、等々）」というメッセージが効果的に伝わるほど、「やっぱりあそこはもうダメかも」というメッセージも同時に発信してしまう。そしてそれが、復興をあきらめずに帰る意志を持ち続けてほしい町民に届いてしまう。

実際、避難区域の自治体のコミュニケーションはジレンマだらけだ。コップの水の例ではないが、「こんなに進んだ」と「まだまだ進んでない」と正反対のメッセージを相手によって、状況によって使い分けなければならない。

コミュニケーションの方向が収斂せず、常に余計なエネルギーを必要とするから、人々はさらに疲弊していく。難しいし、辛い。

二〇一六年三月二六日

■はじめての、別れの季節

大学を卒業してから四半世紀の間、四月～三月という日本の一般的な年度サイクルとは無縁の生活をしてきた。勤めた会社はどこも会計年度の始まりが四月ではなかったし、四月に一斉に新入社員が入ってきて三月に一斉に定年退職者が去っていくなんてこともなかった。どの職場も人は年中出入りしていたから、もちろん送別会や歓迎会はあったが、ごくシンプルなものだった。

それが、福島に来て小さな町役場というところで仕事をしてみて、日本では三月が別れの季節なのだということを改めて実感している。

昨日は、役場を定年退職する人たちや他自治体などから一〜二年の任期で派遣されていた人たちへの感謝状贈呈と送別の会があった。送別会というのは飲み屋でやるのではなく、就業時間内の正式な行事だ。卒業式のようにちゃんと「送る言葉」があり、送られる一人ひとりが挨拶をする。

定年退職者の中には、四〇年近く勤めあげた人もいる。さぞやいろいろな経験をされてきただろう。特に震災以降の五年間の苦労は想像を超える。最後が全町避難中の仮庁舎でのお別れとなったのは、本当に気の毒だと思う。

役場の送別の会に出るのは今年が三回目だったが、今年はちょっと昨年までと違った。去る方々の挨拶を聞いていて涙が出たのは、大昔の卒業式以来だった。

福島のこのあたりでは、梅と桃と桜がいっぺんに咲く。木蓮のつぼみもだいぶ膨らんできた。別れがあるからこそ、花々はいっそう愛おしい。

■福島のマンションにあって東京のマンションにないもの　二〇一六年四月一日

愛車しんじ君の車検がやってきた。ツルツルになってしまったノーマルタイヤを新調して履き替え、諸々パーツを取り替えて、しめて一六万円也。車社会の地方暮らしの必須コストではあるが、自動車税、保険、それに駐車場代もろもろ合わせて割り戻すと、月に二万ほどかかる計算だ。高いなあ。

さて、ノーマルタイヤは新品になったが、三シーズン乗った冬タイヤはどうしよう。買った当時は一年少々の福島滞在予定だったのに、まさかの三年。普通はそろそろお取り替えらしいが、あと一シーズンはなんとか行けると言われてホッとしたところだ。

ちなみに、このようにシーズンでタイヤを履き替えるとなると、使っていない間のタイヤの保管場所が必要となる。そこで、福島の集合住宅には、賃貸でも分譲でも必ずタイヤ置き場がついている。移住前、賃貸物件を下見に来たとき、どこも単身者向けなのに物置までついてるなんてすごいな、みんな何を入れるんだろう、と思ったのだが、タイヤでした。

で、このタイヤが結構重たい。極小しんじ君のタイヤでもホイールとあわせて一本一〇キロ以上ある。ふつうの物置ならいいのだが、今回引っ越したマンションは三段ベッド式のタイヤ置き場で、たまたま私の割り当ては最上段。おひとりさまはもちろん全部自分で出し入れしなきゃならない。肩から上へはヘディング技術も使って無事収納したが、高齢者なら真剣に困ると思う。

歳とって自分で上げ下ろしできなくなったら、車に積んだままにしておくしかないかも……

（後日、空いている中段に移動させてもらえてヘディングは不要になった。めでたしめでたし）。

■今日は放射線量の話をしよう

二〇一六年五月一八日

郵便受けに毎月、福島市の「市政だより」が届く。先月号には「放射線対策ニュース」と「全市放射線量測定マップ」というのが折り込まれていた。

それによると、このマンション付近の空間放射線量は現在、およそ０・１マイクロシーベルト毎時だそうだ。事故直後（二〇一一年六月）の測定では１・１マイクロ以上あったらしいから、一〇分の一以下になったわけだ。福島市全体の平均も１・３３から０・２５へと八割以上減衰した、とある。

こんな数字を並べられても、おそらく県外の大多数の人は「？」じゃないかと思う。０・１って多いのか少ないのか。そもそも「マイクロシーベルト毎時」って何なんだ？　等々。

幸か不幸か、この手の知識は多くの福島県民にとって「常識」の範疇になっている。福島第一原発と放射線関係の話は、福島県内では日常の情報だ。ローカルテレビでは、天気予報の後に「続いて今日の各地の放射線量です」というコーナーがあるし、地元紙にも県内各地の放射線量が毎日掲載される。

原発事故で放射能汚染されてしまったところをきれいにする作業が、除染だ。除染は、強制避難の対象の市町村では環境省、つまり国がやるが、そうでないところは各自治体がやることになっている。原発から五〇キロ以上離れた中通り地方も、強制避難はなかったが当時の風向きの関係で結構な量の放射性物質が降り注いでしまった。

で、我が福島市でも市による除染が進行中で、市内には「除染作業中」の看板がちらほら立っている。この除染の効果と自然減衰とで、上述のとおり空間放射線量は五年でかなり減ってきてはいる。それでもまだ事故前の平均（０・０４前後）よりも高いのは事実だ。そのレベルまで原状回復してほしいという当然の心情にどう答えるか、という問題と、現在の０・１とか０・２とかいう数字が危険（健康被害が起きる可能性がある）かどうかの判断は別の問題である。

長期低線量被ばくの健康リスクについては、専門家といわれる人々の間でも意見が違うので、そもそも「客観的な判断」というものが難しい。同じようなエリアに住んでいても、個人の生活パターンとかによっても被ばく線量は違ってくるから、一概にあそこは危険でここは大丈夫とかは言えない。そこがまことに厄介なところで、ここでは詳しく触れないけれども、ともかく私自身はいま危険とは感じていない。

さて、除染してきれいになるのはいいが、それが進めば進むほど溜まっていくものがある。除染というのは結局、枝を落としたり土を剝いだりするので、大量のゴミが出る。この「除染廃棄物」が、いわゆるフレコンバッグという黒い袋に詰められて各地に積みあがっているのだ。放射性物質を含んでるので、当然ふつうのゴミのように焼却したりできない。福島市中心部はいちおう都会（＝土や木が少なめ）なので、廃棄物も相対的に少ないはずと思うのだが、ふと気づくと「おお、こんなところに」という場所に廃棄物の仮置き場があったりする。

第一原発のある双葉町・大熊町に「中間貯蔵施設」というものを作って、県内各地のこういう仮置き場から廃棄物を集める計画になっているのだが、これも一筋縄では全然いかない。

福島市のように原発からは遠く、地震被害の物理的な復旧はとっくに終えて、いまでは何事もなかったかのように見える場所でも、ときどき見かける除染の看板とフレコンバッグの山は、ここが原発事故被災地なのだと思い出させてくれる。冒頭で紹介したような数字はしょせん数字。観念でしかないが、除染廃棄物という「事故の遺物」は視覚を通して圧倒的な質量で迫ってくる。

もちろん、そのやるせなさを上回る快適さがあるから、私はいまここに暮らしているのだけどね。

■ウニ丼を食べに南三陸へ行ったときの話

二〇一六年六月一二日

五月末、仕事仲間のSさんを誘って宮城県の南三陸町へ、シーズン初のウニ丼を食べに行った。この四月に引っ越した福島市からだと高速道路で二時間半の距離だ。

近所の鮨屋でなくわざわざ隣の県まで行った理由は、いくつかある。ひとつにはもちろん、お上品なウニ軍艦ではなく、豪快にウニだけがどーんと乗っかったドンブリ飯が食べたかったことだ。南三陸町は「キラキラ丼」の名称で海鮮丼を売り出していて、町内の複数のお店が提供している。季節によって上に乗っかる海産物が変わり、五～八月はウニ。これがお目当てだ。

もうひとつの理由は、二年前にも訪れた南三陸町が、どれくらい変化しているか見てみたかったことである。前回の訪問は二〇一四年三月、私が福島県に来て間もない頃だった。アジア協会アジア友の会主催の視察ツアーに参加して、初めて福島以外の被災地を生で見た。

南三陸の中心部は津波で壊滅してしまったのだが、このとき既にガレキの撤去は終わってかさ上げ工事が始まっており、高台から眺めるとあちこちの盛り土が板チョコのように見えたのを覚えている。当時、福島第一原発近くの沿岸部ではまだ船や自動車がひっくり返ったままだったから、復旧スピードの違いを実感したものだ。

二年ぶりに見る南三陸の津波被災地は、まだまだものすごい規模の土木工事が進行中だった。文字通り町の姿が変わりつつある。河川と道路を入れ替える、なんていう工事もやったという。

そんなことして町全体を数メートルかさ上げし、山を切り開いて住宅を作り……というのだから、気の遠くなるような話だ。工程自体は確実に前進しているのだろうが、被災当事者にしてみれば「もう待ちきれない」という気持ちになるのも理解できる。

さて、私たちがウニ丼をいただいたのは、少し内陸に入ったところにある「南三陸さんさん商店街」の中の一軒である。ここはプレハブ造りのいわゆる復興商店街で、二年前に来たときは空き店舗もあったのが今はほとんど全部うまっているようだった。

お土産品の種類も二年前から確実にパワーアップしている。特産のタコにちなんだオクトパス君グッズに加え、震災後イースター島から贈られたというモアイ像をモチーフにした商品がぞくぞく開発されてる様子だ。

さらに、この日は「復興市」というイベントが、新しく完成したという魚市場の隣で開催されていた。たくさんの店が出ていて、ここにも採れたての生ウニと炊き込みウニ飯があったが、その前にホタテやら何やらでお腹がいっぱいになり、残念ながらパス。なんだか外人さんがたくさんいるな、と思ったら、なんと東京からオーストラリア大使館も出店していた。

こうして一見にぎわいを取り戻したかのような南三陸町だが、それでも人口減少は止まっていないという。今回は、以前に研修でご一緒したことのある同町観光協会のOさんが親切にも半日ほど案内してくれて、いろいろ話を聞けたのだが、急激な高齢化と過疎化という被災地共通の悩みに例外はないと、あらためて感じた。

ちなみに、原発被災地の復興はさらに二〜三年遅れだ。課題解決に魔法はない。

■ネットワーキングは嫌い、でも出会いは好き

二〇一六年六月二〇日

福島市のマンションに引っ越して二カ月になるが、ダイニングセットが届いたのは一週間前だ。それまでは、フローリングのリビングに小さなちゃぶ台を置いてご飯を食べていた。床に座るのは辛くないので別によかったのだが、さすがにこれではお客さんが呼べない。引っ越してすぐ、福島で知り合った若者三人を呼び、ヨガマットの上に座ってもらって宴会をしたが、ちゃぶ台が小さすぎたため動員した段ボール箱が「貧しい気持ちになる」と評された。

そこで購入したのは、いわゆるソファダイニングというやつだ。食事ができる高さのテーブルと、ソファっぽい座り心地の長椅子の組み合わせ。四人掛けダイニングとソファ両方置くにはちょっと窮屈、という住宅事情を背景に生まれた、日本ならではの発明と思われる。

で、さっそく同じ若者三人を呼んで宴会をした。若者といっても皆さん三〇代だが、五十路にとって一回り以上違う人々は十分若者である。全員が、原発事故被災地の復興になんらかの形で関わっている。福島に来なければ、私はおそらく一生この人たちに会うことはなかっただろう。「移住」の楽しさは、そういう新しい友人づくりであることは間違いない。

自宅を人の出入りの多い場所にしておくのは、おひとりさまにとってある種のリスクヘッジでもあるので（真面目に）、新しいソファダイニングにはこれから十分に活躍してもらう予定である。

■水道料金がぜんぜん違う件について

二〇一六年八月一六日

四月にいまの分譲マンションを購入してから、二カ月に一度、水道料金が管理費といっしょに請求されるようになった。区分所有建物にはいくつか住んだことがあるが、この方式は初めてだ。聞いたときはへえーと思ったが、福島ではわりと普通らしい。

その料金、最初は大して気に留めていなかったが、先月の明細をよくよく見ると、「水道料六三四六円」とある。ということは、ひと月三〇〇〇円以上もかかっている計算ではないか！

それまで住んでいた二本松市の水道料金は、ひと月決まって一三五〇円だった。東京に住んでたときだって、ほぼ定額の一八七〇円。おひとりさまの水の使用量などたかが知れていて、いくら使っても節約しても同じ「最低料金」なのだと勝手に思っていた。これを機会にちょっと調べてみると、あらまあ、実は最低料金などというものはないらしい。

水道事業は、自治体の一般会計とは別で受益者負担・独立採算制なんだそうだ。これも恥ずかしながら東京にいるときは知らなかった。だって、「うちは井戸水使ってるから水道料金払ってない」という人は周りにいなかったんだもの（今はいる）。受益者負担・独立採算なのであれば、加入してる世帯数とか、どこから水を引っ張ってくるかとかで料金が結構変わってくるのは、ある意味当然、というか仕方ないんだろう。

福島市の上水道料金は、基本料金も水量料金も、二本松市のざっと三割増しくらいである。我が家に関してはそれを上回る値上がり具合であるが、引っ越してバスタブも若干大きくなったし、友人を招けるようになって宴会が増え、使用水量も多少は増えたのであろう。

もっとも、福島市だけが全国で突出して高いわけではないようだ。比較サイトで見てみたら、やっぱり高い方から数えたほうが早かったが、それでも上には上があった。

これまで何回も引っ越ししてきたが、ずっと二三区内だったから気づかなかっただけで、住む地域によって水道料金こんなに違うんだと、五〇年以上生きてきて初めて知った。

この水道料金しかり、冬場の暖房費しかり、車にかかる経費もしかり。地方は東京に比べて生活コストが安いというのは、必ずしも正しくないのだ。

■「コイン精米」初体験の巻

二〇一六年八月二四日

別に糖質制限しているわけではないが、おひとりさまは一度買ったおコメがなかなかなくならない。前回玄米の五キロ袋を買ったのは春先のことだ。先日まで玄米のまま炊いていたが、どうもこれだけ暑いと玄米は胃に重たい。やっぱり精米しようと思い立つ。といってもうちに精米機はないが、これが大丈夫なのである。

最初に住んだ二本松市では、田舎道の角に電話ボックスのように「コイン精米ボックス」というものが建っているのを見てカルチャーショックを受けた。さすがに福島駅近くにこのボックス式は見かけないが、車で一五分くらい走れば産直敷地内にコイン精米機がある。

ということで人生初のコイン精米体験。もちろん無人なので説明書きを読みながら操作する。一〇キロまで一〇〇円だそうで、精米度合いも三段階で選べる。玄米の投入口と精米の出口の位置関係にしばし悩んだが、まあそんなに難しいわけはない。スイッチを押したら、二キロの精米なんてあっという間だった。

そして、精米とともに出てくるのが糠である。糠がたまっているドラム缶的な容器の上には、「ご自由にお持ち帰りください」の表示が。なんとイナカは太っ腹なのであろう。もらって帰りたかったが、あいにく容器がなかったため断念した。

と、ここまで二週間ほど前の話である。

先週末、リベンジで糠だけもらって帰り、さっそく糠床を作った。むかしむかし、人に糠床を分けてもらって漬けていたことはあったが、生の糠から作るのはこれも人生初だ。

まあ、だれがいつどんな米を精米してできた糠かわからないし、疑ってかかればだれが何を混入させているかもわからない。気になる人にとっては正気の沙汰ではないかもしれないが、私の場合は好奇心が勝る。

まだ全然熟成していないから、いま捨て漬け野菜をかじってみてもただの塩漬けだ。コイン精米の素性不詳の糠でおいしい糠漬けが作れるのか、来週以降のお楽しみである。

■第二章はじまりました　二〇一六年一〇月四日

福島県に住み始めてから二年九カ月になるが、最初の一年九カ月はいわば「お試し移住」期間で、東京にも「帰る家」があった。思うところあってそこを引き払い、荷物をぜんぶ福島に持ってきたのが一年前。その半年後にはマンションも買ってしまった。

買ったというと、「じゃあ福島に永住するんですね」みたいに言われるのだが、私の場合、家を買う＝永住するという感覚はまったくない。家とて基本的には他の資産と同じ、事情が変われば貸したり売ったりすればいいものと考えている。しかし、それでも買う決心をしたのは、福島の生活が気に入ってしばらく住もうと思ったからには違いない。

気に入っている理由はもちろん、山や温泉が近いとか野菜が新鮮で安いとか、まあ定番である。が、それに加えて、原発事故被災という特殊な事情があるこの場所では、わりとわかりやすい形で多少は人の役に立つ仕事がさせてもらえる、という実感があるからだと思う。

この二年九カ月支援してきた浪江町役場での任期が、先月終了した。今月からもパートタイムでお手伝いは続けることになったが、空いた時間で活動範囲をもう少し広げられそうだ。

いま復興・地方創生界隈では、若者をターゲットにソーシャルベンチャー、ローカルベンチャー、なりわいづくり等々、いわゆる脱サラ（古いか）＆移住を促すキーワードが渦巻いている。

しかし、私のように五〇の声を聞いてからの地方移住は、二〇代のような勢いだけで実現するのは厳しい。イナカに雇用がないなら自分で生業を作ればいいのだ、と言われても、世の中そういう才覚と度胸のある人ばかりではなかろう。

実際、もし私に十分な才覚と度胸があったなら、任期終了というこのタイミングで「起業」という選択肢もあるのだろうが、あいにくそういう星の下には生まれなかったのだから仕方ない。当面はパートタイムとフリーランスで、そういう星の下に生まれてがんばっている人々のお手伝いを続けようと思う（もっともフリーランスだって「事業主」ではあるのだが）。それだって大企業のコマとして働いているより、直接的に人の役に立ってる感はなんぼか大きい。

ということで今月から、半分サラリーマン・半分フリーランス・ちょびっと大家さん、の「ふくしま生活」第二章が始まったところである。

■「ちょうどいい季節」はどこへ……　二〇一六年一〇月一三日

こないだ扇風機をしまったばかりなのに、もう便座ヒーターを入れようかという気温になってきた。浜のほうから福島市に避難している人たちに言わせると、内陸の中通り地方は「ちょうどいい」季節がとても短いんだという。私は浜通りに住んだことがないからわからないが、たしかにここ一週間の温度差にはびっくりだ。

こちらに来て最初に住んだ二本松のアパートは隣が田んぼだった。冬の間真っ白だった田んぼが、雪が解けて黒い土になり、耕されて苗が植えられ、緑がだんだん濃くなっていく。そして穂をつけ始めると次第に黄色みが増していき、最後は文字通り黄金色になる。今の時期は稲刈りも後半戦で、刈られたあとはまた茶色い土の色になる。同じ田んぼの風景を一年通して観察したのは生まれて初めてで、農業の時間軸ってこういうものかと思ったものだ。

と同時に気づいたのは、田植えは五月、収穫は一〇月、つまりこの広い土地が一年の半分は遊んでるということだ。冬の間、この土地をなんとか利用できないものか。まあ、二期作・二毛作ができる土地ならとっくにやっているだろうから、「もったいない」と思うのは東京人の余計なお世話なのかもしれない。「土地は希少なもの」という価値観は、いまや大都市の一部に限られるのだろう。

つい先日までは、自分でつくった糠漬けがおいしかったが、これだけ気温が下がってくると身体が欲するのはやはり温かいもの。先月末、職場の任期満了祝いでいただいた蒸し器が、これから活躍する季節になる。新米を炊いて、鍋もいいね。

しかし今夜も冷えてきた。たしかに、もう少し「ちょうどいい」季節が長くてもよかったんだけど……。

■しんじ君が新しくなりました

二〇一六年一一月五日

とうとう愛車しんじ君が二代目になった。こんどはコンパクトながら普通自動車である。

先代のしんじ君を郡山のディーラーで購入したのは、かれこれ三年前。基本、職場と近接したアパートとの往復にしか使わない前提で、迷いなく中古のミニマムな軽自動車を探した。といっても、雪が降るからと四駆にだけはこだわったら意外と選択の余地がなく、新しい冬タイヤ、保険など諸々込みで、一〇年落ちのダイハツミラでも七〇万近くかかったと記憶している。もともと約一年のお試し移住のつもりだったから初期費用は抑えたかったのに、すでに最初から予算オーバーであった。

その後、一年限定で応援に入ったはずの自治体の仕事は請われるまま延長に次ぐ延長で、気づけば三年近くが経過。途中でマンションまで買ってしまい、その時点で往復一〇キロだった通勤距離が五〇キロに伸びていた。

加えて人が訪ねてきてくれることも増えて、たまには四人乗せてドライブできるといいよね、とか、たまには高速道路も長時間走れると便利だよね、という、軽自動車にはちょっと苦しい場面が重なってきた。そこでこの度、しんじ君もついに普通自動車へと代替わりさせたのである。

二代目しんじ君はエンジン一三〇〇ccのいわゆるコンパクトカーで、今度はふつうの前輪駆動車である。この辺たしかに雪は降るが、スキー場などには一切近づかない私にとって、「四駆でよかった」と感じる場面はひと冬に一度あるかないか。四駆はかえって燃費が悪いだけ、ということを学んだ結果だ。燃費にこだわるなら、みんなが乗ってるハイブリッドにしようかとも考えたが、ハイブリッドは中古であってもやはり相対的にお値段が高く、諦めた。

ちなみに、私が運転免許をとったのはたしか大学一年だったから、もう三〇年以上も前のことだ。当時の自動車にはカーナビもキーレスエントリーもなかった。パワーウィンドウすらまだ珍しかったのではなかろうか。三年前福島に来て、必要に迫られてハンドルを握ったのは実に二〇年以上ぶりだったが、先代しんじ君の装備はたいへんベーシックだったから、その間のギャップをまったく感じずに済んだ。

ところが、今度の二代目は中古ではあるがまだ三歳と新しく、見慣れない装置がたくさんついている。まずはキーを差し込まないでもエンジンがかかるのに驚いた。初めて見るカーナビはそれなりに便利だと思ったが、ギヤをリバースにするとその画面がバックモニターというものに切り替わる。それを見ながら車庫入れするというのだが、なんだかなおさら曲がってしまう。

全体にエコを意識した車なのは有り難いが、リアルタイムで燃費がチラチラ表示されるとかえって気になり、運転に集中できない。極めつけは初の給油時。ガソリンスタンドでハッチレバーが見つからず焦ったら、ドアロックを解除するだけでいいそうな！

ということで、二代目しんじ君と仲良くなるにはもう少し時間がかかりそうである。

■おかあさんのダイコンに寄せて

二〇一六年一一月一八日

二〇代半ばの一時期、オーストラリアに住んでいたことがある。食材は安かったので、自炊している限り生活費は大してかからず、貧乏な若者には有り難かった。週末の青物マーケットにはよく行ったし、時々は肉屋にもお世話になった。

ただ、カルチャーショックだったのは、どこでもすべて「キロ単位」だったことである。牛肉一キロいくら、トマト一キロいくら。一〇〇グラム単位表示に慣れている日本人には新鮮だった。周りのお客さんもキロ単位か、少なくともhalf a kilo、すなわち五〇〇グラムで買っていく。

しかし、こちとらビンボーひとり暮らし。肉なら冷凍できるとはいえ五〇〇グラムも買う自信は財布にも胃袋にもなく、遠慮がちに二〇〇グラムください、とか言って「huh?」と聞き返されたものだ。

久しぶりに同種のショックを受けたのが、数日前のこと。福島に来てから知り合ったSさんの家では、お義母さんが立派な畑をやっていらっしゃる。そこへ年に二回ほど、「収穫のお手伝い」という名目でリヤカーいっぱいの野菜を頂戴しにいくことになっており（すいません、私が勝手にそういうことにしているだけです）、その日は冬野菜の収穫だった。

といっても、私がやった仕事は立派なダイコンを数本引っこ抜いたくらいだが、終了後にお昼ごはんとお茶までごちそうになり、恐縮至極。そしてそのお茶請けにいただいた自家製タクアンが、これまた美味至極だったため、さっそくレシピを乞うた。

「まず、ダイコン一〇キロに対して塩五〇〇グラム」。ふむふむ、とメモを取る。

……いや、まて。ダイコン一〇キロって何本くらいなんだろうか。というか、ダイコン一〇キロをどうやって量るのか。うちのキッチンスケールは一キロまでしか量れない。どこかに体重計があったはずだが……。

てか、一〇キロのタクアンを作ったら売って歩かなければならない。いや、売れればいいが食べられない代物ができたら困る。初心者おひとりさまは、すべて二〇分の一で計算しなおそう。

こうしてSさんのところからいただいた大量の野菜を周りにおすそ分けすると、お返しに今度はイクラだの果物だのをいただく。イナカでは、現金を介さない物流というのがたしかに存在するのだ。

現にSさんの家では（原発事故の直後を除いて）野菜は買ったことがないというし、この辺りにはそういう兼業農家は少なくない。いまスーパーでは天候不順とかで野菜が高騰しているらしいが、Sさんの畑はまったく影響がないようだった。

世界がどんどん不穏当になっていく気配がするいま、サバイバルの基本はやはり「自家菜園」だろう。そろそろ本気で土地を探さなければ。Sさんの畑を歩きながらつくづくそう思った一日だった。

■国保税の通知を見て卒倒しそうになった件について　二〇一六年一一月二二日

三〇年ちかいサラリーマン生活の間、「平日の休み」というのはたいへんゼイタクなものであった。

いちばんのゼイタクは約三年前、前職を辞めてから復興庁の任期付き職員として浪江町役場に派遣されるまでの、二カ月間の有休消化である。その間に新天地で住まいを探し、引っ越し、車を買い、土地に慣れるため周囲を探検し、合間には京都にも旅行した。それでも最後は時間を持て余してしまったので、新しい勤め先となる役場に二週間ほど早く「ボランティア出勤」させてもらったのだった。

こうして間にバッファ期間が長くとれたことで、身体的にも心理的にもかなり楽だったと思う。有休をたくさんくれた前の職場には大感謝である。

さて、九月末、そのサラリーマンを半分卒業して週三日のパートになった。自由になる時間が増えたのと引き換えに、こういう有り難い有給休暇はもちろん、勤め先に半分払ってもらっていた年金保険や健康保険など、フルタイム宮仕えの特典をすべて手放すことになった。

もちろん承知の上である。承知の上ではあったが、実際に福島市から徴収の通知がくると、なんとも心が乱れてしまう自分がいた。住民税も年金保険料もはじめから額はわかっていたが、天引きされるのと自分で銀行からおろして払込票を書くのとでは、なぜこうも負担感が違うのであろうか（笑）。

しかし、国民健康保険税の上がり方に至っては、まったく青天の霹靂であった。もちろん、労使折半がなくなることも、加入していた公務員共済は若干料率が低かったことも知っていた。だから大よそ二・五倍目安で想定していたのだが、届いた通知にびっくり仰天。一回の支払い額がいきなり勤め人時代の六倍になったのだ。

少し冷静になったら、年度後半の六カ月分を四回に分けて払うので一カ月分に直すともう少し減ることに気づいたが、それでも想定を大きく上回る。どうしてこんな？　と思い、納付書に同封されている書類の、ふだんは読まない小さい字をたくさん読むと、そうか、国保の場合は当月の給料ではなく前年度の所得が基本になってるのだね。他にベースになるものがないから当たり前だが、サラリーマン一筋で来た私にとって、恥ずかしながらそれはまったく新しい情報だった。

そして私の前年度の所得は、たまたま東京のマンションを売却したため一時的にかなり膨らんでいたのである。うーむ。あと半年、年度末までフルタイム卒業を待てば三〇万円も負担が少なかったのか。ま、その気になって調べればネット上にいくらでも情報はあるのに、調べず今ごろビックリしてもしょうがないわな。

といってこのタイミングでパートになったことはまったく後悔してない。私の「ふくしま生活」第二章プチ・リタイヤ編は、これからが本番なのだから！

■ふくしま昭和ノスタルジー

二〇一六年一二月一一日

今年秋から半分フリーランスになって、わずかだが営業収入がある。そこで先日、「白色申告の方向け決算説明会」に出ようと、会場の福島市公会堂というところへ初めて赴いた。ところが、到着したらなぜか入口のカギが全部閉まっている。裏口から入って事務所で聞いたら、なんと日にちを間違えていたことが判明。苦笑いしつつ、いい散歩になったと自分を慰める。

ふと見ると、閉まった入口扉に、「震度六強以上の地震に対し倒壊・崩壊の危険性が高い」

という耐震診断の結果の貼り紙が。この公会堂、たしかに見るからに年季の入った建物である。ウィキペディアによると開館は昭和三四年だというから、私より年上ではないか。

東日本大震災のとき福島市内の揺れは相対的に小さかったようだが、それでもこの六〇歳近い建物にダメージが全くなかったわけではあるまい。震度六強などめったに来ないとは思っても、こんな貼り紙を見たらできれば近寄りたくないと思ってしまうわね。

公会堂に限らず、福島市内の大きな建物はたいてい古い。県庁の本庁舎なども恐ろしくアンティークである。東京都心は再開発と称してどんどん新しいビルが建ち、少し見ないとどこだかわからなくなってしまうくらいだが、福島駅周辺で今世紀に入ってから建てられたビルと言えば、西口のコラッセふくしまと数棟のマンションくらいではなかろうか。

反対側、東口を出て目の前には、地元のデパート「中合（なかごう）」と地元のホテル「辰巳屋」があって、いずれも昭和四八年（一九七三年）の開業。つまりこの四〇年余り、駅前の風景はほとんど変わっていないと思われる。


子どものころの私にとって、デパートと言えば地元・川崎駅前の「さいか屋」だったが、「中合」はそれを彷彿させる古き良き昭和のデパートの佇まいだ。といっても普段は用がないので、一年前に福島駅の反対側に引っ越してきてからまだ二回ほどしか覗いたことがない。

でも今日は時間があったので、初めてエスカレーターで最上階へ向かってみた。もしかして、昭和のなつかしい「お好み食堂」が残っているのでは、と思ったのだ。

が、さすがにその時代は過ぎていた。代わりに横文字の名前のレストランが入っていて、中もモダンな内装になっている。でも日本らしく、ちゃんとメニューサンプルが外のガラスケースに並んでいるので物色していると、あ、お子様ランチを発見！

よく見ると、大人向けのメニューも寿司あり定食あり。これ、つまり横文字になったお好み食堂だよね？　よかった、なんだか昭和に出会えた気がした。

とメニューだけチェックして、またエスカレーターで一階ずつ下る。師走の日曜の昼下がりにもかかわらず、どのフロアもかなりゆったりと買い物ができそうであった。高齢のお客さんが増えて外商のほうが活躍しているのかしら（希望的観測）。百貨店という業態自体が昭和なのかもしれないが、昭和生まれにとっては消えてほしくないものの一つではある。

だったらもっと買い物しろよ、と自分に突っ込みをいれつつ、一階のテナント喫茶店でフルーツパフェのみ頂いて今日のプチゼイタクは終了したのでありました。

■娘、帰る

二〇一七年一月一日

若い頃、年末年始といえば友人と遊びに出かけるものだったが、もう一〇年以上前から正月は大人しく両親のところへ帰って過ごしている。

両親は、神奈川県川崎市のいまの住所に結婚当初からずっと住んでいて、私はそこで生まれ育った。私が子どもの頃は、祖母（父の母）も同居していたから、私はてっきり父自身もそこで生まれ育ったものだと勝手に思っていたのだが、この正月、そうではないことを初めて知った。父の生まれは昭和八年。当時、父の両親は同じ川崎市内でも今のところから一キロ少々離れたところに家があって、父はそこで生まれたという。が、戦争が始まると、その近くの工場が軍需工場に転用され、周りの家は強制的に取り壊しになってしまった。

これを建物疎開といったそうだ。調べると、建物疎開とは空襲による延焼を防ぐため、燃えると困る県庁や市役所、軍需工場などの周りの建物を取り壊して空き地を作ること。本格的な本土爆撃が始まった昭和一九年ごろから、全国で行われたらしい。

強制的にどかされたといっても、もちろん代替えの土地の手当てなどなかった。それで、父の家族は伝手を頼って市内を数カ所点々とした後、今の場所に落ち着いたのだそうだ。

父自身も、もちろん疎開の経験がある。地方に縁故がないので、学童の集団疎開で知らない土地へ避難したという。おそらく父が小学三、四年のころの話だろう。疎開先では心細くて仕方なかったそうだ。食べ物といえば水っぽくて不味いサツマイモだけで、常に空腹。ごみ箱をあさって腐った夏ミカンを食べた記憶があるとも言っていた。

そんな時代だから、父は小学校だけで五回くらい転校したという。苦労しただろう。今でいうイジメも、なかったわけがあるまい。

戦争が終わると、川崎にも進駐軍が来た。米兵の乗ったジープに子どもたちが駆け寄って「ギブミーチョコレート」と叫ぶ話は本で読んだが、父も実際それをやったそうだ。本当にチョコレートをくれたのかと聞いたら、本当にくれたんだそうである。さぞやおいしかったに違いない。

その父も、昨年は病気が進行し、足腰はまだ大丈夫だが食べ物が呑み込めなくなった。胃ろうをつけて嚥下リハビリに励み、ゼリー状のものはなんとか口にできるようになったが、この正月は大好きな数の子もかまぼこも食べられない。いくらごちそうがあっても、今度は身体が受け付けなくなってしまった。目の前でお節を食べて気の毒だとは思うが、まだらボケの進行した母は平気で雑煮をほおばっている（笑）。

大晦日、大量の賞味期限切れ食材、いくつも口の開いた同じ食材が詰め込まれた冷蔵庫を文句いいながら掃除するのも、あと何回だろうか。両親の子どものころの話も、聞けるうちにもっと聞いておかなければいけないな。

元旦の今日は、穏やかな晴天。昔なら一〇分もかからずに歩いていけた近所の神社へ、途中休みながら三〇分以上かけて初詣に出かけた。

だれでも通る道だから淡々と歩きたい。

■ご安全に、ご安全に

二〇一七年二月七日

あっという間に今年も二月。お試し移住のつもりで福島県に来て、正式に仕事を始めたのが二〇一四年の二月一日だったから、丸三年が過ぎたわけだ。

最初の年の秋ごろ、大学同級生の親友Wさんが自分の家族とご両親まで連れて遊びにきてくれたのだが、そのときそのお父さんに「ここに三年は暮らしてみなさいよ」と言われたのを覚えている。当時は一年ちょっとで東京に帰る予定だったから、「いやぁ、どうですかねえ」などと適当な返事をしたのだが、気がつけばお父さんの助言どおりになっている。

思えば遠くへ来たもんだ。物理的な距離じゃなくて、仕事、暮らし、そういうもの。

先月の終わりに、あのイチエフを視察する機会があった。といっても、イチエフという言葉は福島県外でどれだけ一般的なんだろう。福島第一原発のことだと、みなすぐわかるんだろうか。そんな感覚まで鈍くなってしまった。

ま、いいや。

事前に『福島第一原発廃炉図鑑』という本を読んでいったこともあり、実際にイチエフを見てみた感想は、予想以上でも以下でもなかった。

感心したのは構内に入る際のチェックの厳しさだ。もちろん通りすがりで見学はできない。

事前登録した氏名と身分証明書を突き合わせ、暗証番号を押してゲートを通過し、さらに空港のような金属検知器も通過する。

その本にはイチエフの中では「ご安全に」というのが挨拶だと書いてあったが、私たちも敷地内をめぐる視察バスに乗り込む際に、そういって送り出された。はて、「ご安全に」に返す言葉は「ありがとう」だろうか。用法としては「ごきげんよう」と同じ気がするから、返礼も「ご安全に」でいいのか……。

まあそれもどうでもよろしい。

車窓から見学する限り、今はもうタイベックスーツとか全面マスクとかは必要ない。線量計とともに支給されるのは、手袋と靴カバーだけだ。五〇分ほどの見学を終えて、被ばく線量はガンマ線０・０1ミリシーベルトで、歯のレントゲン一回と同じ。

現在のイチエフには一日平均四〜五組の視察がくるという。当然、専門の対応チームが組織されていた。視察中、構内の写真撮影は禁止だが、アテンドしてくれる東電のスタッフがちゃんと要所要所で撮影し、後でワンセット送ってくれる。視察の受け入れは東電にしてもかなりのリソースを必要とするのだろうが、彼らにとって今それを惜しむことは許されない。

それでもイチエフ廃炉のニュースが福島県外で流れることは、もう頻繁にはないのだろう。原発事故被災地の人たちからすれば、けしからん、風化しているという話なのだが、客観的に見れば米軍基地のニュースが沖縄県外でほとんど報道されないのと同じことだ。

いちおう「復興支援」という名目で、私が被災自治体の手伝いを始めて三年たった。日々の役場仕事というミクロで見れば、それなりに役に立ったことはあるだろう（と思いたい）。が、被災者の心の復興というマクロの状況は、三年前とどれだけ変わっているだろうか。

友人のお父さんが「三年やってみろ」といったのは、「石の上にも三年」という意味だったのかどうか。

■書いておきたかったこと　二〇一七年三月一一日

またあの日がやってきた。ふだんこのブログでは震災とか避難とか放射能の話にはほとんど触れないけれども、今回だけはそのテーマで書こうと思う。

全町避難の浪江町役場に期限付きの支援に入って丸三年。今月末はいよいよ、町の一部で避難指示が解除される。三年前は、解除目標の「平成二九年三月」なんて永遠に来ないような気がしたし、私自身もそのころまで福島にいるとは思わなかった。

でも、今年の三月一一日を福島で迎え、六回目（私にとっては四回目）の町の追悼式をここで見て、まもなく（たとえ一部でも）避難指示が解除される日に立ち会うことができるのは、これもご縁というほかない。それを見届けて、私の浪江町役場でのお手伝いはひとまず終わる。

福島に来るまで四半世紀の仕事人生、基本的にはずっと「稼いでナンボ」の世界で生きてきた。その世界の住人が国の経済を引っ張っているのは事実なのだが、しかし世の中には「稼いでナンボ」のロジックだけではどうにもならない現実もある。公というのは本来、そういう部分を担うものだと思う。

自分がまさか公務員になる日がくるとは思わなかったが、この三年間ほんとうにいい経験をさせてもらった。私自身は住民と直接やりとりする場面は少なかったけれど、地方の町や村、つまり基礎自治体の職員というのは本当に住民に近い。職員も窓口に来る人たちも、お互いみんな顔も名前も知っている。それなりの息苦しさはあったかもしれないが、やはりのどかな田舎だ。都会の、それこそ生き馬の目を抜くような競争社会と比べれば、地方の小さな町役場など「のんびり」と表現して差し支えない職場環境だったと思う――あの原発事故が起きるまでは。

この六年間、国がいかに立派なお題目を並べようと、現場で踏ん張り、末端の人々の暮らしを支えてきたのは、紛れもなく、浪江町をはじめとする基礎自治体の職員たちである。自ら被災しながら、各方面の板挟みになりながら、住民にとっての「最後の砦」を自覚して、ここまでやるかというくらい身を粉にしている。私は三年間それをこの目で見てきた。

復旧・復興で町の予算は震災前の何倍にも膨れ上がっている。予算を執行するには人手が必要だ。ただでさえ業務量が増えているところに、選挙だ調査だシステム変更だと国政レベルのイベントが容赦なく降りかかる。避難指示が解除されて町内の本庁舎に戻るとなれば、またしても家族と離れ離れになる職員も少なくない。神さまは彼らにどれだけ試練を与えれば気が済むのかと思う。

敢えて言う。「復興」にどれだけ予算をかけても、この地域に被災前と同じ人口が戻ってくることはないだろう。経済合理性を最優先すれば、費用対効果論が出てくるのは当然だ。私の中に残っている「東京人」は、その発想にも大いに賛同する。

しかし、ここに生きる人たちの顔と名前を知ってしまった「こちら側の私」は、もう「あちら側」には戻れない。そして、たとえ被災地が元通りにならなくても、新しい現実は日々確実に生まれているのだ。

誤解のないように付け加えると、私が仕事で接する地元の人たちは、役場の人もそれ以外の人も含めて、みな明るい。そして、いい意味で淡々としている。人間、何かものすごいものを突き抜けるとそうなるんだろうか。

むしろ、外から「支援」に来たはずの人のほうが精神的に不安定になったりして、支援者の支援というのも本当に必要だなと思う。最近知った「共感疲労」という言葉には、私自身も思い当たることはある。けれども、幸い根が思いつめるタイプではないのと、周囲の人に恵まれたおかげで、私個人の福島生活は今のところ楽しくてしょうがない。

不謹慎と言われようが、実際に来て住んで楽しいという人が増えなければ、福島の将来はないこともまた事実であろう（もっとも、私の生活圏は役場の避難先・二本松市と住居のある福島市の周辺であり、避難区域となった被災地からは遠く離れてはいるが）。

　このタイミングで福島に来たのは、私の人生でベストの決断だったと断言できる。あのまま東京で仕事を続けていたら、一生出会うことのなかった人々と出会い、知ることのなかった価値観を知り、見ることのなかった世界を見ることができた。その意味では、私は大震災と原発事故に感謝すらしている。

　あの日あのときここにいなかった私は、語り部にはなれないという意味で「当事者」ではないし、なる必要もない。しかし「知ってしまった者」の責任はある。いろんなバランスをとりつつ、もうしばらくここでの生活を続けようと思っている。

　直接死も関連死もふくめ、すべての犠牲者の方々のご冥福をお祈りします。合掌。

二〇一七年三月二五日

■コンビニ考

　何年振りかでコンビニでカップラーメンを買って食べた。なんだかものすごく味が濃く感じ、舌がピリピリするようだった。といって、「インスタント食品やコンビニ弁当って身体が受け付けないわ」などと気取るつもりはもちろんない。

食に関する「意識高い系」の人たちは、コンビニで売ってる系の食品を妙に毛嫌いする傾向がある。かくいう私も、東京でサラリーマンしていた時代はコンビニ食をなるべく避けていた。一一年前にヨガを始めてから多少は食べ物に気を使うようになったこともあるが、いちばんの理由は「おひとりさま＋コンビニ弁当」というコンビネーションがあまりに侘しく、恥ずかしいような気がしたためである。

それに、コンビニみたいな業態が広がればエネルギー消費も減らないし、便利さと引き換えに人間はどんどん怠惰になっていくから、コンビニとは社会の必要悪であるとさえ感じていた。でも、福島に来てからコンビニの見方は変わった。

原発事故の避難区域で、赤字を覚悟で最初に営業再開してくれた小売は大手のコンビニチェーンだった。今でこそ定食を提供するような飲食店もでき始めているが、そういうものがなかった当時、除染や復旧にあたる作業員の身体を支えてきたのは、主にコンビニの食べ物だったのだ。避難指示下の浪江町で三年前に初の小売店としてローソンが再開したとき、先遣隊として本庁舎に帰って執務していた十数人の職員たちはどれだけ助かるだろうと思ったら、手を合わせて拝みたい気持ちになったものだ。

コンビニ食品の原材料表示にある、たくさんの○○剤や○○料にあからさまに眉をひそめる人もいる。でも、それらを食べ続けて長期的に人体にどんな影響があるかなど、本当のところはわからない。実験室のモルモットのように「それだけ」を摂取し続けるなら別だが、同時に他のいろんな「リスク」も取り込んでいる以上、そのうちひとつの要素の確定的影響など特定しようがないはずだ。いまの福島の被災地程度の低線量被ばくが、長期的に人体に及ぼす影響が特定できないのと同じ理屈である。

それに、田舎のコンビニは都会とは違う重要な役割を担っていることもわかった。地方に行けば小売店の空白地帯は多い。夜間ならなおさらだ。暗い山中を何キロも車で走って、やっとコンビニの明かりを見つけたときの安堵感。車社会では、トイレを貸してくれるという意味でもコンビニはなくてはならない休憩所なのだ（ついでに言うと、東京人が都市銀行の支店のない地方に来たらコンビニのＡＴＭこそ頼りである）。

カップラーメンに話を戻そう。

ふだん食べつけていないと塩分やら添加物やら舌に刺激が強いのは確かである。原発事故避難のせいで、自分で作ったコメと野菜で自炊ができなくなったり、同居していた家族と離れて単身になったりして、スーパーやコンビニの惣菜、インスタント食品に頼るようになった人も多い。彼らはカップラーメンなど食べ慣れただろうか。

手作りの食べ物が良いのは当然だが、他人が手作りしたものは高額になる。工場で作った方が安い。都市化とはすなわち生産の分業化だ。元は兼業農家も多かった被災者の避難生活は、生産手段をなくし、やむなく都市化したのだった。

第二章　フリーランスになっていろいろ体験してみた

（二〇一七年四月〜二〇二〇年三月）

■プータローとはなにか

二〇一七年四月七日

なんだかんだで三年二カ月もお世話になった福島県浪江町役場に、先月末、こんどこそホントにさよならを告げた。

最初は一年少々のつもりだったのが、延長、延長また延長。その間少しずつ身分が変わったり部署が変わったりしたため、そのたびに送別の花束やプレゼントをいただき、もはや餞別泥棒と呼ばれても返す言葉がないところまで来ていた。が、これでホントに最後だ。三月末、町の一部で六年ぶりに避難指示が解除されて、四月一日から役場機能の大半が二本松の仮事務所から元の本庁舎へ戻った。いつかこの日が来たとき私は一緒に「移住」はしないと決めていたので、このタイミングでホントのさよならになったわけだ。

ということで、今月から晴れて一〇〇%フリーランス（プータローともいう）のライター生活が始まっている。

と書いてみて、待てよ、そもプータローの定義とは何ぞや、という疑問が湧いた。

ググってみると、おおむね「働こうと思えば働けるのに無職でいる者」の総称のようである。じゃ、無職者とは何か。会社にお勤めしてないということか。そしたら自営業はみんなプータローだ。労働の対価として現金収入を得てない人のことか。じゃ専業主婦はみんなプータローだ。

調べていくと某テレビ局のサイトに「なるほど」という記事が載っていた。それによると、プータロー（風太郎）とは元来、定職に就いていない日雇い労働者のことを指す言葉だったそうだ。このオリジナルの定義に従えば、やはりフリーランスとプータローはニアリーイコールとして問題なさそうだ。私の場合、僅かながら不動産収入という「定収」があるが、これは基本的に不労所得であるので定義は外れまい。

さて、毎日決まった時間に起きて決まったところへ行かなくてもいいとなると、人間どれだけ怠惰になれるものだろう。まだ始まったばかりだが、自らの性分が露わになってくる過程を面白がっているところである。

■やっぱりゆうちょがよさそうだという話

二〇一七年四月一四日

福島市から、去年購入したマンションの固定資産税の納税通知が来た。三〇代半ばで最初に東京でマンションを買って以来お馴染みの固定資産税だけれども、東京都以外の自治体に納めるのは初めてのことだ。いちいちコンビニに払いにいくのは面倒なので、東京でやっていたのと同じように口座振替にしようと思ったら、対応できる銀行がたいへん限られていた。福島市内に支店のある金融機関でないとダメなのだ。

東京人であれば、いわゆる三大メガバンクのどれかに口座を持ってる確率はかなり高いのではなかろうか。メガバンクというからには、日本全国津々浦々に支店があってもよさそうな気がするが、その実、全都道府県の県庁所在地に支店を構えているのは「みずほ」だけなんだそうである。当然、福島市に支店があるのもみずほだけ。私はたまたまみずほに口座があったので、あぁよかったとその福島支店へ振替手続きに行ったら、明らかにレアなリクエストらしく、行員さんの対応が多少たどたどしくはあったが無事完了した。

東京から地方移住する際は、その土地の地銀もしくは郵便局に口座を作るべし、とはよく言われるが、これだけコンビニＡＴＭが発達した昨今、預金の引き出しだけなら都市銀のままでも大して不便を感じることはないと思う。

しかし、不動産を買うなどとなれば、ローンを組んだり決済したりできる金融機関がその場所になければ困ったことになる。実際、私が福島のマンションを買ったときも、本当は別のメガバンク口座から払い出したかったのだが、福島には支店がないため、みずほの口座へ資金を移動してその福島支店で決済したのだった。

家は買わないにしても、最寄りのコンビニが数キロ先みたいなイナカに住むなら、それはもう郵便局の出番である。全国どんな小さな町村にも必ずある郵便局。高齢者の中にはキャッシュカードを使わず、必ず通帳と印鑑を持って定期的に窓口へ行く人も多いから（うちの両親もそうだ）、一種の「見守り」的な役割を果たしている局もあるのかもしれない。

私も最近、福島にご縁をもらったのだから地銀に口座を作ろうかと思ったが、いや待て、一生福島にいるとは限らない、と考え直し、結局ゆうちょに開設した。

そう、郵便局は自称ノマドの味方でもあるのだ。

■お花見で朝食を

二〇一七年四月一八日

東京で花見といえば通常、ソメイヨシノの下で宴会することを指す。福島で有名な桜といえば、「三春の滝桜」をはじめとする枝垂れタイプが多いが、もちろんソメイヨシノの名所もないわけではない。先日は、近所のSちゃんが誘ってくれて、市内を流れる荒川河川敷の公園へ、満開のソメイヨシノを愛でに行った。

スタートは七時半。朝の、である。酒のつまみでなく朝ごはんを食べながらの花見は初めてだったが、これがなかなか良かった。青空の下、遠景には絵のような吾妻連峰が霞み、時折そよぐ風に桜吹雪が舞う。その下でSちゃんお手製のおにぎり、サラダ、特大いちご、酒粕ディップを乗せたクラッカーを頬張る。

人の作ってくれたご飯はなんにしても美味い。あながち親子でもおかしくないほど歳が離れているSちゃんであるが、たまに会うときはこうして結構ごちそうになっている。

横を流れる荒川は水がきれいなことで有名だ。食べ終わったら腹ごなしに川に沿って咲く桜のトンネルをプラプラ散歩して、少々風が出てきたのを機に一〇時前には花見終了。その後Sちゃんは仕事へ、プータローの私は家へ帰って二度寝、いや掃除と洗濯を。早起きは三文の得を実感する一日であった。

ちなみに、私が仕事でご縁をいただいた浪江町にも請戸川リバーラインという桜の名所がある。話には聞いていたが、先日やっと生で見ることができた。夜桜の上に花火が打ち上げられる桜まつりは、原発事故による避難で六年間中断していたが、この三月末に一部で避難指示が解除されたのを受け、今年は町に帰った住民の有志が花火を復活させたそうだ。

もちろん、避難指示が続いている間も桜は変わらず咲いていたわけで、日中の立ち入りが可能になった四年前からは昼間の花見ならできないこともなかったろう。でも、解除によって町内での宿泊に制限がなくなり、夜桜を楽しめるようになって初めて、復興の一歩を感じた人も多かったのではなかろうか。

もちろん、早朝スタートのブレックファースト花見もOKになったということ。喜ばしいことだ。

■芽が出てふくらんで花が咲いたら何をする？

二〇一七年五月一日

我が福島市は果樹栽培が盛んだ。六月のサクランボから始まって、桃、梨、ブドウ、リンゴ。直売所も多く、季節には果物好きが方々から訪れる。いまはそのシーズン直前。先週、知り合いの果樹農家さんで農作業の手伝いをさせてもらった。生まれて初めて体験する、桃の摘花とサクランボの授粉である。

農作物は多かれ少なかれみな同じだろうが、ただ自然のままにしておいたら売りものはできない。咲いた花を的確に間引きし、サクランボに至っては人工的に授粉してやらなければ、人間が買い求めるような立派な果物はできないのである。

まったく、何事もやってみないとわからないものだ。こんなに手間と時間がかかっているとは知らなかった。

摘花は、脚立に上ってただひたすら、適切な間隔でピンクの花を摘んでいく。二人で一時間作業して、中くらいの桃の木がやっと一本終わるかどうか。脚立の上の作業は結構バランス感覚が要求され、体幹も鍛えられるらしい。前にこのアルバイトをしたことがあるという友人Sさん（四〇代女性）は、「ワンシーズンやったら腹筋が割れた」と言っていたが、あながちウソではないと思う。

サクランボの授粉というのは、自家受粉しない（すなわち、同じ品種同士では実を付けない）佐藤錦という品種に必要な作業だそうで、雇われたミツバチ君たちとともに人間が別種のサクランボ花粉を雌しべにくっつけていく。こちらは肩掛け型の小さな機械を使う。長いホースの先についている鳥の羽で花の表面を撫でてやると、先から出てきた花粉がまぶさるようになっている。

どちらの作業も、ひたすら目の前の花と木に集中して行う。たまに顔をあげれば真っ青な空。どこからかホトトギスやキジの鳴く声が聞こえ、遠くには雪解けの進む山々。思考が止まって無心になれる。

やっぱり、瞑想には料理と農作業がぴったりのようである。

■お野菜お届け便の日

二〇一七年五月一一日

終わってしまった。ゴールデンウィーク。といってもこの四月から完全フリーランスの身。毎日が日曜日とは言わないが、拘束時間としての労働時間は激減しているので、大型連休と言われてもまったく有り難味はない。

それにしても日本という国は、ハッピーマンデーだのプレミアムフライデーだの、涙ぐましい努力で国民に休暇を奨励する一方、たかが九連休くらいで「大型」と呼んでしまうところ、つくづく休暇大国への道は遠いと感じる。

こともあろうに、そのゴールデンウィーク初日の二九日、浪江町で山火事が発生した。連休中ずっと燃え続けて、やっと昨日鎮火したそうだ。我が元同僚の役場職員の皆さん、せっかくの連休にフル出勤した人も多いだろう。三月末に町の一部で避難指示が解除になって役場が避難先から本庁舎に戻り、四月から単身赴任している職員も多いから、家族との再会を心待ちにしていたゴールデンウィークだったに違いないと思うと、本当に気の毒だった。

さて今日は、その元同僚の皆さんの一部に「お野菜お届け便」をする日だった。

浪江町内にはまだ生鮮食品を扱う店がない（コンビニには少し置いてあるけれど）。最寄りの南相馬のスーパーも片道三〇分はかかる。仕事が遅くなれば閉店時間に間に合わないだろうし、間に合ったとしても買い物して帰ってご飯を作って、では大変だ。週末の買い出しにも限度があろう。昔から三食コンビニ飯という独身者ならともかく、自炊したい人、ましてや家族の分のご飯まで作らなければならない人はさぞや困るだろうと思って、月に二度ほど、中通りの産直で朝採れ野菜を買い、あらかじめ希望を聞いておいた職員に届けているのだ。

といっても商売ではないので、一〇人分がせいぜいである。早く町内でも野菜を作って直売してくれる作り手さんが出てきてくれるといいのだが（誤解のないように追記すると、けして請われてやっているのではなく、私がみんなの顔を見たくて勝手にやってることである）。

今日は浪江町へ野菜を届けた帰りに川内村へ取材に寄ったので、二〇〇キロ超えの阿武隈山地周遊ドライブであった。今夜も「お疲れ、自分！」のビールへと突入するところである。

■サクランボを食べながら、こう考えた　二〇一七年六月二七日

四月の花摘み・授粉につづき、六月は延べ一〇日間ほどサクランボ農家さんの手伝いをした。福島県の思惑通り、「福島といえば桃」というイメージが世間に定着しつつあるかどうか知らないが、この地の名産は桃だけではない。サクランボ、梨、リンゴと、我が福島市の果樹農家さんたちは春から秋まで大忙しである。なかでもサクランボは季節が短い。事実上、六月の一カ月間が勝負だ。

ゴールデンウィークのころに自分が授粉させた花が、こういうふうに実になるんだということをこの目で見ると、平凡な言い方だが、自然の摂理というものに改めて驚かされる。サクランボを作るのはサクランボ農家ではない。サクランボの木なのだ。

以前から食品ロスがマイテーマで、いろいろ調べたりしているうちに、人口が七〇億を超えた世界には近い将来、水危機・食糧危機がくることを確信するようになった。

地球上どこに住んでいても最終的にこの問題からは逃れられないが、場所によって多少は時間差があるだろうから、水源が豊富な日本は相対的に有利だろうし、日本の中でも食糧がある

程度自給できる農村部のほうがさらに有利なんじゃないか、と考えた。世界規模の危機以前にも、たとえば東日本大震災で東京都心のスーパーの棚から食べ物が消えたとき、やっぱり食べ物の生産地の近くにいたほうが、飢える確率は低いような気がした。

そんなことで、私が福島に移住したのは、少しでも食糧生産の現場に近いところに居ようという危機管理的な意味合いも、なくはなかったのである。その延長で、次は小さくてもいいから土地を買い、多少でも自分で食べ物を生産できるようになっておこうというプランも、まだ捨ててはいない。

しかし、実際に農業というものの現場に多少なりとも触れてみると、その「危機管理」も甘い幻想だということがわかってきた。農業も、種屋さんがいなければ作付けできないのである。

当たり前だが、植物は種から育つ。水稲の種籾はもちろん、キュウリでも茄子でも玉ねぎでも大根でもジャガイモでも、自家で採種して翌年の作付けに使っているのは、プロの農家さんでもほとんどいないのだそうだ。みんな毎年農協から仕入れるという。当然、素人の野菜作りも産直やホームセンターで毎年種や苗を買ってきて初めて可能になる。その種や苗が供給されなくなったら、いくら土地があっても何も作れない。

その点、果樹なら樹を育ててしまえばあとは毎年黙っていても収穫できる、と思いきや、例のサクランボの王様「佐藤錦」などは自家受粉せず、人間が別種のサクランボの花粉を授粉させてやらなければならない。そしてその花粉も、やはり毎年購入する必要があるのだ。

いま読んでいる本によると、地球史上では何度も生物種の大量絶滅がおきているという。二億四五〇〇万年前の「ペルム紀末大量絶滅」では、海洋生物種の九五%、陸上種は七五%が死に絶えた。有名な恐竜の絶滅は六五〇〇万年前、このときは陸生生物種の九〇%が死滅した。ちなみに、どちらもゴキブリは生き残ったというからすごい。

これらの絶滅は、小惑星の衝突とか地軸の傾きの変化とかによる気候変動が原因だったが、そのたびに生き残った種が新しい環境に適応して劇的な進化をとげたんだそうだ。

とはいえ、いずれ太陽の寿命が尽きれば地球の寿命も尽きる。そのずいぶん前に、こんどこそゴキブリや細菌類も含む全生物が死滅するのだろうが、中でも我々ホモ・サピエンスはかなり早期にいなくなるんだろう。おそらくは自分の手で自分の首を絞める形で。

希望的観測では、人類の最期よりも私の寿命のほうが早く来てくれるんじゃないか、と思っているのだけれど。

■只見にて、お腹が重たくなった話

二〇一七年八月四日

只見町に行ってきた。

新潟県との境にある福島県只見町は、豪雪地帯として有名である。二年前の冬、雪まつりを見にバスツアーで来たことがあるが、三メートルの積雪の中、人々は文字通り「雪に埋もれて」生活していた。雪に閉ざされるとは、こういうことを言うのか……。それはある意味圧巻ではあったが、個人的に「冬のリピートはないな」と確信したのであった。

　だが、町の九割をブナの森林が占めるという只見、夏はさぞ美しいことだろう。ぜひ緑の時期に再訪してみたいと思っていたが、なにしろ同じ県内でありながら福島市からはおいそれと日帰りできるような距離ではない。実現までに二年かかってしまった。

　今回、念願だったブナ林&沢歩きも、実は直前の大雨であわや入山禁止というところだったが、普段の行いが余程よろしかったと見えて、前日までには通行規制も解除。当日も曇りときどき雨の予報が見事に外れてピーカンに晴れてくれた。

　予め観光協会のサイトで歳の近い女性のガイドさんをお願いしてあったのだが、彼女も関東からの移住組で、以前は編集の仕事をしていたというので、こちらはすっかり親近感がわいてしまい、おかげで安全かつ楽しく只見の自然を満喫できた。感謝。

　と、ここまでは私の「想定通り」の只見だったのだが、翌日、只見川の上流に田子倉湖と田子倉ダムという景勝地があるというので、なんの気なしに行ってみたら、なんだかとってもお腹のあたりが重くなってしまった。

　森に囲まれた湖は、たしかに景勝地ではある。静かな水面には遊覧船も浮かんでいる。が、このダム湖の底には五〇戸二九〇人の集落が沈んだのだという。

　もちろん沈む前に住人はみな他へ引っ越したわけで、そのために死者が出たという話ではないのだが、それでもそのことを知ってしまうと、水の中から声にならない声が聞こえるような気がしてならなかった。

昭和三五年になぜこのダムができたかといえば、もちろん首都圏向けの電力供給のためである。ここではいまでもJ-POWER（電源開発）が電気を作っている。田子倉だけでなく、水が豊富な福島の山間地方にはいくつもダムがつくられ、すなわち水力発電所がつくられ、戦後の首都圏への電力供給地となってきた。その歴史はなんとなく知っていたが、そのダム湖の底にはみな多かれ少なかれ、強制的に移住させられた人々の集落が沈んでいるのだということには、思いが至らなかった。

ダム建設中は賑わった只見も、できあがった発電所は期待されたほどの雇用も経済効果も生まず、地域の過疎化は進んだという。一時一万二〇〇〇人を超えた只見の人口は、現在四〇〇〇人を切っている。

浜通りで原発事故が起きたとき、「福島第一は東京の電気を作っていたんだぞ」と、なかば非難に近い言葉が福島の人から発せられたこともあった。そのとき、東京人の私は大いに反発を覚えた。たしかにイチエフは東京の電気を作っていたが、事故が起きたこと自体は一般の東京都民のせいではなかろう、と。

でもその「非難」は、おそらくそういう福島の歴史も踏まえて口をついたのであろう。

「福島は東京の犠牲になってきた」

「都会は地方の犠牲の上に成り立っている」

そういうメンタリティを私は好まなかったし、理論として正しいとも思ってこなかった。が、地方に移住していろんなものを見聞きするうちに、またいろんな本を読むうちに、だんだんと「そういう面もあるのかもしれない」と感じるようになってきている。

そしてそれは、誰のせいでもないのだけれど。

■農業とともに人類の不幸は始まりき

二〇一七年八月一五日

今月初めから、キュウリ農家さんでバイトを始めた。

これまでにも自家消費用の小さなキュウリ畑で収穫体験させてもらったことはあるが、ここは専業なので規模が違う。数十メートルのキュウリのトンネルが何本も並び、さらにそういう畑が何カ所にもあるのだ。一日の出荷量が五〇〇キロを超えるときもある。

本業がパソコン仕事なので身体を動かす副業をしたかったのと、農業というものへの興味（ビジネスとしてではなく食べ物をつくる過程への興味）から、チラシに載っていた季節限定バイトに応募した次第だが、「身体を動かす」といってもジムでマシンをやるのとは訳が違う。予想以上の重労働である。

いまのところ、選別と箱詰め、集荷場への出荷（荷の上げ下ろし）、天気がよければキュウリ畑で芯止め、蔓留めという作業が主な仕事だ。ずっとかがんでやる仕事とずっと背伸びをしてやる仕事があって、バランスがとれて良いんだか一カ所に負荷がかかりすぎて良くないんだか、よくわからない。

身体が慣れていないせいもあって、最初の二、三日は腰も膝も首も悲鳴をあげ、とんでもない仕事に応募してしまったと一瞬後悔した。パートの女性たちの中では、おそらく私がいちばん若造だと思われるが、みな「暑いね〜」とか言いながら何でもない顔をしてやっている。

初夏にサクランボ果樹園の手伝いをしたときもそうだったが、キュウリみたいな身近な野菜でも、その生産現場を体験すると、はぁこういうことになっているのか、と学びの連続である。たとえベランダ菜園でもキュウリを育てたことのある人なら、下葉をとったり蔓をネットに固定したり、芯を止めたりという作業は多少お馴染みなのだろうが、私にはその経験もない。

こんなに手間をかけないと売り物のキュウリはできないのか。この作業はどんなにロボットやAIが進化しても絶対リプレイスできないだろうな、などと、五〇メートル超のキュウリトンネルの中で感慨にふける。

露地もののキュウリはいまが全盛だ。一日数センチ伸びるというキュウリは、朝晩に収穫をしないと大きくなりすぎてしまう。お盆だからと成長を休んでくれるわけもなし。したがって、キュウリ農家さんは休みがない。出荷期間中は週七日、基本的に早朝から夕方まで働きどおしなのである。そんな激務のせいかどうか、この農園が属しているキュウリ専業の出荷組合も、徐々に組合員農家が減ってきているのだという。

こうして私が腰や首に湿布薬を貼りながら出荷したキュウリは、東京の大田市場に送られ、主に首都圏のみなさんの食卓に上る。

いまから約一万年前に農業というものが始まってから、ヒトの不幸は始まった――。それは、ベストセラーになった『サピエンス全史』を読んで目から鱗の学びだった。

その感想を興奮気味に話したら、相手の人が『ビッグヒストリー　われわれはどこから来て、どこへ行くのか～宇宙開闢から138億年の「人間」史』という立派な本を贈呈してくれたのだが、それを読んでますます「狩猟採集から農耕への転換＝人類の不幸の始まり」を確信した。

その本いわく（農業が出現した最初期の状況について）、「考古学はまた、狩猟採集民にとって必ずしも農業のほうが魅力ある生活様式とは映っていなかった点も示している。（中略）そもそもみなが農耕民になることを望んでいたわけではなかったようである。これはおそらく農業という生活様式が、狩猟採集よりも肉体的に相当にきつく、健康に良くなく、精神的に疲れることも多かったせいだろう」。

農耕民として人々が完全に定住し、人口が増え、水利や土地をめぐって権力というものが生まれ、コミュニティが複雑化した。支配層が生まれ、都市が生まれ、そこには自分の食べ物を自分では作らない職業の人々が集まっていた。
「都市（ウルク、長安、……ローマなど）が威光と権力の中心だったとすれば、その資源のほとんどを供給するのが町や村だった。小作農は、ときには大地主のもとで農場労働者として働きながら、町や都市で消費される大量の農産物を生産した。あらゆる農耕文明で、大多数の一般市民から支配層へと富が流れていく様子が観察できる」

日本でも「重い年貢に苦しむ農民の姿」は時代劇などでお馴染みだけれども、驚くことに早くも紀元前二〇〇〇年紀末のエジプト新王国時代の「書記のための練習帳」には、「これだから小作農に身を落としてはならない」と書いてあるんだそうだ。

もちろん現代日本の農業は農地所有が基本だし、「都市への農作物の供給」も徴税ではなく商取引という形で行われている。それでも、こういう史実を知ると、今の世の「農業離れ」もむべなるかなと思ってしまう。

でも、いまさらみんなして狩猟採集には戻れないのであるから、だれかがこの爆発的に増えた人口を、その大部分を占める都市住民を、食べさせなければならない。都市住民はせめて、自分の口に入れるものを誰がどうやって作っているのか、一度見て知っておくべきだと心から思う。

と、三年半前に福島に来るまでほとんど土を触ったこともなかった私が言うのもおこがましいが、単純に土にまみれるのも楽しいものである。「エクササイズ」にはならないが「運動」には違いない。地方暮らしならではのこの農家バイトが終わるころには、私も長靴・頬かむり・腕カバー姿が堂に入っているかしらん。

■また来てね　二〇一七年八月二七日

先週末、東京から従妹が遊びに来てくれた。東京の友人たちは代わるがわる訪ねてきてくれるが、考えてみたら母以外の親族の来福は初めてだ。

父は五人兄弟、母は三人兄弟だから、いとこはたくさんいる。子どもの頃は年に数回親族で集まっていたと思うが、ここ二〇年以上、たまに顔を合わせるのは葬式のときだけという状態が続いていた。それが近年、ＳＮＳのおかげで数人と再びゆるくつながることができ、今回の訪問が実現したのだ。

リアルで会うのは数年ぶりのＡちゃん（といっても彼女も四〇代）。貴重な週末を目いっぱい楽しむべく、金曜の夜に仕事を終えてから新幹線に乗って福島入りしてくれた。こういうときに駅から徒歩圏内にマンションを買っておいてほんとによかったと思う。

さて、どこに連れて行こうか。山が好きで二年ほど長野に暮らしたこともあるＡちゃんだが、なんと福島は初めてだというではないか。山歩きがしたい、もちろん温泉も入りたい。桃も食べたい。美大を出たデザイナーだけに美術にも興味あり。だけど、お城見学や街歩きはしなくて可。ということで、一日目は福島〜浄土平〜鎌沼散策〜フルーツライン〜飯坂温泉、二日目は県立美術館〜土湯峠〜猪苗代湖〜郡山と相成った。天気にもそこそこ恵まれて、それなりに楽しんでくれたと思う。

りんどうが咲き始めた浄土平はいつもながら美しかったし、久々の太陽がまぶしい猪苗代湖では、家族連れやカップルに交じって念願の足漕ぎスワンボートにも挑戦（といってもAちゃんに漕がせて私は座っていただけ）。私自身も旅行者気分で楽しい週末だった。

というわけで、今回もほぼ定番の観光コースだったのだが、こうして東京からのお客さんを案内する場合、土日の二日間、新幹線駅の発着という条件で旅程を考えると、どうしても直面する現実がある。

浜通りに連れていく時間がないのだ。

もともと原発被災地支援に入った身としては、避難指示の解除が進む浜通りの復興に多少とも寄与すべく、そこへ人を連れていきたい気持ちがある。が同時に、来てくれた人には福島が誇る雄大な自然と極上温泉をぜひ楽しんでもらいたい。歴史好きならやっぱりお城や城下町だろう。

もちろん、阿武隈山地から海側にだって山も温泉も史跡もあるにはあるのだが、中通り～会津地方の有名どころと比べてどうしても地味、かつ新幹線駅からアクセスが悪いのだ。浜に連れていくには、最低三日以上滞在してもらうか、リピートしてもらうしかない。

うん、やっぱりまた来てもらおう！

■農業とともに人類の不幸は始まりき（その2）　二〇一七年一〇月二〇日

急に冷えてきた。昨日は東京もずいぶん寒かったようだが、福島も一一月下旬なみの気温だった。露地ものの夏野菜はそろそろおしまいだ。

八月からアルバイトしているキュウリ農家は露地オンリーなので、今年の出荷は今週でおしまい。昔ならキュウリなんてもっと早く枯れているのだろうが、肥料などが発達した現代では、夏秋キュウリという種類ならこの時期までなんとか実をならせることができる。でも畑に行くと、もうキュウリは最後の力を振り絞っているのがわかるのだ。思わず、よくがんばったね、などと声をかけてしまう。

この二カ月半の間に体験した作業としては、収穫、箱詰めはもちろん、蔓留め、芯止め、葉っぱ切り。そして、枯れて収穫が終了した春キュウリの畑の後片付けだ。「後片付け」と一言でいうが、まずは枯れた蔓をネットからはがし、ワイヤーを巻取り、ネットを巻取り、支柱を抜いて一つ所に集め、土に敷いてあるマルチというビニールシートをはがして巻取り、枯れた蔓を集めて燃やし……と工程はいくつもある。

そのバイト先はキュウリ農家だからといって他のものを何も作っていないわけではない。一〇月初旬は稲刈りという一大イベントも経験することができた。事前の準備から刈ったあとに出荷するまで、私にとってはすべて初めての学びである。

野菜や果物は、基本的にはとったものをそのまま食べられるわけで、選別して箱に入れれば出荷できる。が、穀物の場合、食べられる状態にするまでが大変だ。脱穀、乾燥、籾摺り、といった言葉はもちろん知っていたが、そのすべてにおいてこれほど機材・機械をたくさん使うとは！

コンバイン、グレインキャリー（収穫したコメを運ぶ、でっかい袋状の入れ物）、乾燥機、籾摺り機、選別・計量機。かなりの設備投資だが、いずれも他の用途には使えない専用の機材で、年にせいぜい一週間程度、この収穫の時期しか使わない。複数の農家で共有すればいいのに、などとつい思ってしまうけれど、それがそうもいかないのは、時期がみな重なるからだ。

これらの機材は、セットアップもかなり重労働だし、使用の前後にはすみずみまで洗浄しなければならない。機械のおかげで、人力よりも確実に作業は速く楽になったが、かわりにそのメンテナンスという仕事が増えたわけだ。メンテナンスにはエア洗浄ガンなどの機材が必要で、それを動かすコンプレッサーもメンテナンスが必要で……となると、農家の高齢化対策のひとつとしてよく挙げられる「機械化」って、実際どうなのだろうと思ってしまう。

もちろん、今後もおそらく永遠に機械にはできないであろう仕事もたくさんある。前述のキュウリの収穫や蔓留めなどの作業もそうだし、今回のバイトでは他にネギ畑の除草や高菜の間引き、白菜の定植などもやったが、これらも基本は人の目と手先が必要だ。

そんなこんな含めて、この農家バイトは私にとって大いに興味深い経験だった。これこそ、福島に移住しなければできなかったことだ。また、本業の方で農家さんの取材をすることがたまにあるが、たった数カ月でもこの農業体験はかなり役に立っている。

ということで、こちらのバイト先には、キュウリ畑の片付けとネギの出荷が終わるまで、頻度を減らしつつもうしばらくお世話になることになった。

晴れて年季が明けたら、腰は伸びるかもしれないが、せっかく減った体重がリバウンドしないか、それだけが懸念点である。

■母と神谷と戦争の記憶

二〇一七年一〇月二七日

いちおう「復興支援」という名目で福島に来て仕事を始めたとき、自己紹介で「福島には縁もゆかりもなかった」と挨拶をしたことがあったかと思う。でも実はそれは正しくない。最近まできちんと認識していなかったのだが、母方の祖父母の生まれは現在の福島県いわき市なのだ。祖父は当時の平町、祖母はその隣の神谷村の出身である。

たしかに子どものころ、「たいら」とか「かべや」という地名は聞いた覚えがある。実際連れていかれたこともあるらしいのだけれど、残念ながら当地の記憶はまったくなし。「かべや」が「壁屋」ではなく「神谷」と書くことを知ったのは、恥ずかしながらつい数日前だ。

その神谷村は一九五〇年に平市に編入され、その後一九六六年に一四市町村大合併で現在のいわき市になったという。地図で見ると、現在のいわき市平地区の一部にかろうじて地名が残っている。

以下、先日実家の母と食事をしながら聞き出したことの備忘録である。

祖父の実家は平で商売をしていた。店番をしていた祖父が、毎日店の前を通る女学生を品定めし、「いちばん丈夫そうなのを」と選んだのが祖母だった、という話は、本当かどうか知らないが母からはよく聞かされている（実際見る目があったのだろう。祖母は病気入院などすることもなく一〇〇歳まで生きて大往生を遂げた）。

が、なんでも曾祖父の後妻さんが金を持ち逃げしたとかで店をたたむことになり、祖父母は上京。日本橋で母が生まれるころには、祖父の実家はもうなかったらしい。

母が小学校に上がった年に東京の空襲が始まり、母は神谷にある祖母の実家に疎開した。こちらは武家の末裔とかで、母いわく欄間には薙刀が飾ってあったそうだ。まだ就学前の弟（私の叔父）と二人、親族の家とはいえ親と離れて暮らすのはなかなか寂しかっただろう。母恋しくて泣く弟の手を引き、自分も泣きたいのをこらえて散歩に出かけ、レンゲソウを摘んで輪っかを作って遊んだと言っていた。

しかし、福島の沿岸部にもたしか空襲はあったはずである。今般の東日本大震災で被災した浜通りの高齢の方が、戦争で家をなくし、今度は津波で家をなくしたと嘆いていたのを思い出し、母に聞いてみると、たしかに「神谷の家から平のまちが燃えるのが見えた」という。一九四五年の初めからは全国で本土空襲が始まっていたのだ。

母によると、低空飛行の爆撃機が田んぼで農作業をしている人を狙い打ちにすることもあったそうである。そんな状況で、母はかすかな爆撃機の音を聞いても真っ先に防空壕に飛び込み、行方不明騒ぎになったこともあったとか。

ただ、幸いなことに食べ物にはさほど困らなかったようだ。ひもじい思いをしたのはむしろ終戦後で、疎開中はお腹をすかせて辛かった記憶はないんだという。

転校した疎開先の小学校で「東京から来た子」はどんないじめを受けたのかと思いきや、逆に「ちやほやされた」というから驚く。身寄りも友達もいない集団疎開先で、辛くひもじい思いをした父とは対照的である。疎開が終わって母が東京に帰るときなど、クラス全員で列車を見送りに来てくれたのだそうだ。福島の人は当時から優しいのかもしれない。

そのとき母が乗ったのは常磐線だ。電化したのはかなり遅く一九六三年だというから、当時はまだ蒸気機関車だったはず。そのせいかどうか、母は今でも長距離列車の場合は電車と言わずに汽車という。

ちなみにその常磐線、大震災・原発事故の影響で不通になっていた区間の運転再開が徐々に進み、あと一区間を残すのみとなった。全線が開通したら、母が乗った平〜上野をぜひ旅してみたいものである。

■農業とともに人類の不幸は始まりき（その3）

二〇一七年一一月二五日

「キュウリの収穫と箱詰め」という求人広告に応募したはずの農家バイトだが、キュウリの時期が終わっても、次は稲刈り、それからネギの収穫と出荷、と続き、業務内容は募集広告からかなり乖離してきている。が、いろんな作物の栽培現場を見ることができるのは大変いい勉強だ。

今週は、加工用の高菜の収穫・出荷というものを経験した。葉ものは初めてだ。これはあの、ミレーの『落穂拾い』の姿勢が永遠に続く、まことに腰にこたえる作業である。

週の中盤は中通り地方でも氷点下になり、朝の高菜畑は一面の霜だった。前日に根っこを落としておいた高菜は地面の上で真っ白に凍みている。これをカゴに詰めていくのだが、まあ指先の冷えること。焚火をおこしてもらってなんとかなったが、一時は手がちぎれるかと思った。収穫した高菜を入れたカゴは、ひとつ一〇キロ以上ある。それを二つずつ一輪車に載せ、畝の上を横切って運ぶのも、かなり体幹が鍛えられる作業であった。最終的には四〇〇に近いカゴ数になったはずだから、畑を何度往復したことか（もちろん一人でやったわけではないが）。

この農家バイト、一〇月末から勤務自体は週四回から二回に減らしてもらい、代わりにせっかく減った体重がリバウンドしつつあったが、この高菜で少しはまたシェイプアップしたかもしれない（笑）。

それにしても、夏は炎天下、冬は氷点下の屋外で、文字通り日の出から日没までのこういう身体的な重労働が、エアコンの効いた室内でパソコンをカタカタやっている九時五時の仕事よりも往々にして給料が低いというのは、なんだか腑に落ちない。

この農家さんの時給が安いと文句を言っているわけではない。現代社会において、農業というものがそういう地位に甘んじなければならないことに、不条理を感じるのだ。

■とりあえず、振り返ってみました

二〇一七年一二月一二日

ああ一二月だ。師走だ。年末だ。

私はこのクリスマスから正月のホリデーシーズンというものが、なんとなく好きではない。

暦の上で一年が終わるからといって、なんだこの大騒ぎ。この浮足立った感じ。私にとっての年末年始はカレンダーを掛け替えて手帖を新しくするくらいで、何も特別なことはないのだ。

とはいえ、過ぎた日々を振り返って反省するという行為は、特に私のような人間には折に触れ必要なことだ。だからカレンダーが変わるこの時期、それをやるのは意味があるだろう。

で、振り返ってどんな一年だったかというと、三月末にサラリーマンを完全にやめてフリーになり、生活がかなり変化したのは確かだ。総じて収入は減りコストが増えたので、年間の収支はトントンか少々赤字と思われるが、まあここまでは一応、想定内ではある。

福島に来てから早くも丸四年になるが、東京の勤めを辞めた時点で、私の中では経済的にどうのというよりも、新しい場所に行き、新しい人に出会い、新しいアイデアを学び、新しいことをやってみる、そういうことが優先であった。今年宮仕えを卒業したのは、それをさらに一歩進めるためだった。

……などと言えば恰好いいが、実はそう用意周到に計画したわけでもない。周囲に恵まれ、運に恵まれ、なんとかなっているだけである。ただ確実に言えることは、移住先でフリーになる前にサラリーマンを三年やっておいてよかった、ということだ。知らない土地でもまず組織に属せば、そこで得られる情報や人的ネットワークはやはり大きい。

そういえば、この四年で知人・友人の平均年齢は確実に若返った。若者はみんな東京に行って地方には高齢者ばかり、というのは物事を単純化しすぎ。私の東京の友人は同年代ばかりだが、こちらでは二〇代、三〇代と話すことが多い。向こうはこんなオバサンをどう思っているか知らないが、私にとってはたいへん有り難いことだ。

以上、振り返っただけでちっとも反省してないが、どれだけ考えたところで物事はなるようにしかならない。と思っているような怠惰な人間も「来年の抱負」など捻り出さねばならないような気分にさせられるから、この時期は好きじゃないんだな、きっと。

私はそんな世の中に影響されず、来年もその先も、あれこれ悩まず天命を待つだけにしようと思う（開き直りともいう）。

もちろん、人事は尽くすつもりだけれどもね。

■リアルでいこう

二〇一七年一二月三〇日

実家で年越しのため、福島駅から新幹線に乗って東京へ向かう。三〇分も乗らない間に、窓の外は一面、白くなったり茶色くなったりする。今週、福島市内は雪が一〇センチ以上積もったが、二〇キロ南の二本松、そのまた二〇キロ南の郡山はほとんど降っていない。

ところがさらに南下して白河、栃木の那須のあたりにくると、再び畑は白くカチカチに凍っている。その辺りから西へ向かい、南会津に入れば、この時期はもう一メートルを超す積雪だ。だから、東京の友人に「福島は雪降ってる？」と聞かれても、まず福島県のどこ？　と聞き返さねばならない。移住して四年になる私も、いまだに福島の気候はバラエティに富んでいるなあと感心する。

この四月にサラリーマンを卒業したら、職場がらみの宴席というものがほぼ皆無となり、したがってこの年末はクリスマスとか忘年会と名の付く外食の機会はほとんどなかった。今月半ばに我が家でこぢんまりと女子会をやったくらいだ。もともと大人数の宴会は得意ではないが、フリーになった今はこれまで以上に努めて人付き合いを拡大しないと、そのうち引きこもりになりかねない。

そのぶん、年末年始の帰京中は、実家孝行の合間に旧友たちとできる限り会う予定にしている。福島でもこの四年間、おかげさまでいろんな人と知り合い、友人もできたが、やはり数からいえば東京のほうがまだ圧倒的に多い。ＳＮＳのおかげで普段からさほど「離れている」という感覚はないが、リアルで会うと決まって「この前会ったのいつだっけ？　え、あれってもう二年前？」みたいな話になる。ＳＮＳがない時代に一人で地方に移住してたら、かなり孤立感があったのではなかろうか。

仕事の打ち合わせだって、いまどき便利なオンライン会議ツールがあるから、大抵の距離は克服できる。そういう意味では地方移住・二地域居住のハードルは確実に下がっていると思う。そのうち忘年会や新年会だってオンライン参加が主流になるかもしれない。

いやいや、お酒はやっぱり生身の人間といっしょに飲むほうがおいしいに決まっている。

この正月は、昨年の大病からリハビリを重ねて再び口からの飲食ができるようになった八四歳の父と、福島の酒で乾杯するのが楽しみだ。

■いつまでアニバーサリーなんだろう　二〇一八年三月二二日

平昌オリンピックでやたらと賑やかだった二月が終わり、三月に入って全国テレビでいきなり東日本大震災関連の特番が増えたと思ったら、一一日を過ぎるとまたパッタリなくなった。毎年のことで、別にケシカランとも思わない。年月が過ぎれば報道量が減るのは当然のことだと思うが、全国とローカルとの情報量のギャップは単純にオモシロイなと思う。

福島県に住んでいると、震災、というか原発事故はまだ日々オンゴーイングの事柄で、ローカルニュースで原発、避難区域、被災者という言葉が出ない日はまずない。各地の放射線量を伝えるコーナーも、天気予報とワンセットでもう「暮らしの一部」みたいな感じだ。

とはいえ福島県も広いから、直接の被災地とそれ以外の場所とでは「三月一一日」の意味には濃淡がある。

一年前の三月一一日、まだ私は浪江町役場に勤めていた。当時はまだ全町避難中で（その二〇日後に一部で避難指示が解除された）、その日は例年通り、慰霊祭や追悼式、海岸では行方不明者の一斉捜索も行われた。

私自身がそういうシゴトに直接携わったわけではないが、常にそういう現場に近いところにいたし、日常的にも除染、賠償、避難、復旧・復興、そういうボキャブラリーに囲まれていたので、大震災と原発事故はある意味「日常」であり「身近な」存在だったと思う。

その役場を離れて初めて迎えた今年の三月一一日は、どうも感じ方が違った。このときだけ思い出したようにプッシュしてくる全国メディアの特集を見ていて、昨年までは感じなかった、なんとも胸苦しい気分になったのだ。昨年までなら冷静に見られたはずの「フクシマ」関連の特集も、途中でチャンネルを変えたくなった。

なぜだろうと考えてみるに、それはおそらく、自分だって一年間忘れていたじゃないか、という「やましさ」ではないかと思い至る。

無論、フリーランスになってから受けた仕事で被災地を取材することは何度もあった。だから、震災・原発事故を完全に忘れていたわけではない。ローカルニュースが毎日リマインドしてくれるのも上述の通りだ。それでも避難区域という直接の「現場」を離れて一年近くも経つと、同じ県民であっても記憶は薄れる。

いや、できごと自体の記憶が薄れるのは当然なのだが、あのとき「学んだはずのこと」すら忘れてしまっている。それを思い出させられる胸苦しさなのだ、きっと。

今年のアニバーサリーに何カ月ぶりかで浪江町に向かったのは、日曜日でイベントをやっていたからとか、単に仕事がなくて暇だったから、というだけではない。おそらくそのやましさに自分で落とし前をつけたかったからだと思う。

果たして、一一日を過ぎたら胸苦しさもパタッと止んだ。ちゃんと落とし前がつけられたからではなく、そういう報道がパタッと止んだせいだろう。

所詮そんな程度のものなのだ。私があのとき「学んだはずのこと」も、年を追うごとにそうやって風化していくのは止められない。

が、それでも。

それでも、私のなかで何かがそれに抗うだろうと思いたい。

■桜

二〇一八年四月四日

なんだか今年はやたらと桜が早い。振り返ってみると、昨年近所の荒川土手で花見をしたのが四月一六日だったから、今年は二週間以上早い感じだ。

福島市内も、昨日今日あたりは昼間半袖でもいいくらいの陽気だった。普通なら、日本国民みな心おどる桜の季節である。ましてこの冬はいつもより寒くて長かった気がするから、ことのほか春が待ち遠しかった人も多かろう。私も晴れやかな気分で去年と同じような花見の話でも書きたいところなのだが、今年は桜を見るのがつらい。

五〇年以上生きていると、親の世代だけでなく同年代の友人の葬式も既に何度か経験している。が、二〇歳以上も若い友人に急病で先立たれるのは初めてだ。

去年の四月一六日、ご近所のSちゃんが誘ってくれて、彼女が出勤する前のモーニング花見というものをした。朝のまだ少しひんやりした空気の中、荒川土手の満開のソメイヨシノを愛でながら朝食を食べる、というのはなかなかオツであった。

そのときの記事にも書いたとおりで、Sちゃんはかなり年上の私とも、ご近所のよしみでよく付き合ってくれた。我が家の女子会にもほとんど常連で来てくれていたし、何度となく一緒に食事をした。さすがにこれだけ年齢差があると、いわゆるコイバナをすることはなかったが、話せることはいくらでもあった。最初に会ったのは二〇一五年夏だから大して長い付き合いではない。けれど、もともと二人とも「復興支援」という名目で関東から福島にやってきて、同じNPOの同じプログラムに参加していたこともあるから、共通の話題には事欠かなかったのだ。

研究者だったSちゃんは、まさに知性のかたまりで、頭の回転の速さはカミソリのようだった。いつだったたか、私の書いた数ページのネット記事をスマホ画面でチラ見した直後、私が内心「ここをもう少しきちんと書けばよかったな」と反省していた部分をズバリと指摘されて驚いたことがある。

一方、ルックスも人当たりもカミソリとは正反対。いつも自分より先に他人のことを考える、困っている人を見ると放っておけないタイプの典型だった。とことん真っ直ぐな性根は、しかし、独特の「Sちゃんワールド」で一見ちょっと複雑に曲がっているかのようにカモフラージュされてしまうところがあったかもしれない。

私はといえば、だいぶ歳の離れた妹みたいな感覚で、そんなSちゃんの頼もしさと危うさを一定の距離から眺めていたのだった。ときには年齢を笠に着て説教じみた話もしたと記憶する。でも、近くにいてくれた妹のようなSちゃんは、おひとりさまの私にとってこそ頼もしい大きな存在だったのだ。いなくなって初めて、私はそのことに気づき始めている。

急に逝ってしまったが最期のお別れもでき、ご親族とお会いして形見分けもしていただけたのは、本当に有り難いことだった。

こういうときに心を落ち着かせ、気持ちを整理するための方法は人それぞれだと思う。私の場合は、こうして書くことしかできないから書かせてもらいました。

Sちゃん、今年は花見ができなくて残念です。短い間だったけど本当にありがとうね。あなたの分まで引き受けられるかどうかわからないけど、ねえさんは残された人生をしっかり生きますよ。合掌。

■花摘みの季節

二〇一八年四月一九日

今年も桃の摘花のアルバイトが始まった。今年の桜は去年より二週間早かったが、桃も同じくらい早いペースで咲いている。来週はサクランボの授粉だろう。

同じ農業でも米や野菜と違い、果樹は足元が泥だらけにはならないので長靴をはかなくてよい。基本的にはかがむ姿勢もなく、むしろ背伸びをしたり脚立に乗ったりする作業だから、比較的身体は楽だと思うのだが、それでも最初の二、三日は腰が痛くなって我ながら驚いた。大きな木だと一本の花を摘み終えるのに数時間かかるが、その間の脚立の乗り降りでバランスをとるのに、下腹部に力が入らない、すなわち骨盤底の筋肉が衰えているから腰に来るのだ。身体というのは使わないとどんどん退化するのが恐ろしい。

そのバイトから帰ってきて、昨日も今日もすぐお風呂に入った。昨日は冷たい雨で身体が冷えたから。そして今日は暑くて汗をかいたから。なんだって最高気温が一〇度以上違う。盆地の福島はもともと寒暖差が大きく、それで果物はきれいに色づいたり甘くなったりするんだそうだが、こう変化が激しいと人間がついていくのはなかなか大変である。

たまに図書館で、『東洋経済』とか『ダイヤモンド』とかのいわゆるビジネス誌をざっとまとめ読みするのだが、そういう本に出てくる経済専門家の人たちは、少子高齢化が進む日本経済の今後の鍵を握るのはイノベーションだという。

イノベーションとはテクノロジーだけに限らないが、やはりＡＩとかロボットを含めた技術革新に期待する部分は大きいと思われる。先日読んだ号でも、物流や小売、医療や介護などの現場で進む自動化・省力化の例が紹介されていた。

そこで、どうしても思ってしまう。

桃の花の向きを見て、枝の太さや枝の込み具合を見て、その枝にいくつの花を残すかを決め、花芽の脇から出ている葉を傷つけないようにして花を摘んでいく。この作業を、ＡＩ搭載の摘花ロボットが学習して完璧にこなせる日がくるのだろうか……。

■国鳥キジはなんと鳴く

二〇一八年六月二日

近所の散歩コースである荒川土手には、ところどころに大きな木や茂みがあって、今の時期、その中からいろんな鳥の鳴き声が聞こえてくる。どれも擬音化がとても難しい。

名前が分かっているのは、まずカッコウだ。カッコウは日本語では「カッコー」と鳴くことになっている。しかし、私にはどうもそうは聞こえない。あえて書けば「ヒョッホー」だろうか。東京時代の私にとって、カッコウの鳴き声は優雅なマウンテンリゾートの休日とワンセットだったのだが、こちらに来たら意外に人里にもいることが判明し、若干興ざめしたと言えなくもない。

それからキジ。桃太郎の家来は「ケーン」と鳴いたらしいが、これまたどうやってもそうは聞こえない。めったに姿を見せないので、最初、人から音だけで「あれがキジだよ」と言われたときは、自分が理解しているキジとは別物なのではないかと思ったくらいだ。こちらはカッコウよりも擬音表現が難しく、鶏が首を絞められたような、としか言いようがない（といっても鶏が実際に首を絞められた声を聞いたことがないから、これも違うかもしれない）。

しょせん擬音化には限界はあるが、猫がニャーで犬がワンなのには、少なくとも日本人なら大抵合意するであろう。コケコッコーも、まあ近いと思う。しかしなぜあれがケーンなのか？理解に苦しむ。

ほかにも茂みや草むらからはいろんな鳴き声がする。鳥の専門家の間には、そのすべてに共通の擬音化表現があるのだろうか。チュンチュン、カーカー、ピーチクパーチク、鳥の言葉はわからないが、こちらは「おはよう」とか「どこいくの」とか人間語でコミュニケーションを試みる。

さて、あちらにはどう聞こえてるんだろうね。

■おいしいＴＫＧを食べて学んだこと　二〇一八年六月一三日

今日はたまたまＳＮＳで近所の飲食店のイベントを発見。こだわりの養鶏農家さんのお話を聞いたあと、おいしい卵かけご飯（いわゆるＴＫＧ）が食べられて卵のお土産ももらえる、というのにつられて直前に電話して滑り込んだ。

そこで知ってびっくりしたのは、我が福島市は卵の購入額が日本一だというのだ。家に帰って統計局のサイトで調べてみると、たしかに僅差で日本一。ついでに納豆の購入額も、あの水戸市を抑えて日本一。へえ（出典：統計局　なるほど統計学園「あなたの地元が日本一!!」）。ついでに紹介すると、我が福島市、桃に至っては二位の岡山市を倍以上引き離してダントツトップ。なぜかこれだけ購入額ではなく購入量だが、なんと全国平均の六倍もの量を買っている。

ちなみに、福島市の広報二月号を見ると、福島市民のお菓子購入額は全国三位だそうである。たしかに、市内のコンビニでバイトしている関東出身の友人は「この辺のお客さんの菓子を買う量ハンパない」と証言していた。

また、同じ広報誌によると福島市民は塩の購入額も全国七位と多いほう。つまりは甘いのも塩辛いのも大好きな市民であり、必然的に？メタボ該当者割合も全国平均（一四・四％）を大きく上回る一七・八％だそうな。

いくら卵や納豆たくさん食べてもダメなのねえ。たしかに健康保険税も高いしねえ。

都会から地方にいけば自動的に健康的な食生活ができるかというと、それはまったくの幻想だ。自家菜園の収穫物で完全自炊を貫くという生活ならともかく、中食・外食を織り交ぜる場合、バリエーションが少ないからいつも同じものになり、それもマジョリティが好む濃い味のものしかない。おまけに車社会で歩かないし、よほど気をつけないとむしろ東京より不健康だと思う。

そんなことを知り、考える機会となった、今日のＴＫＧイベントであった。

■ Perspective and Imagination　二〇一八年七月九日

西日本豪雨。雨がたくさん降っただけで、本当にこんなにたくさん人が亡くなってしまうものなのか。いま私にできることは多少の寄付と、天に向かって「もう勘弁してください」と祈ることくらいだ。

「自然のおそろしさ」などというが、恐ろしいのは人間から見た場合であって、巨大な台風も地震も津波も噴火も、「自然」の側からいえば淡々とした物理現象に過ぎない。

そういう現象自体は人間の力でどうしようもないが、それによって人間の身に降りかかる災いの程度は、人間の側の準備や工夫によって減殺できる可能性はある。それをしなかったために被害が出た（増えた）と判断されれば、その部分は「人災」と呼ばれる。

　七年前の東日本大震災では、津波は天災だから仕方ないが、原発事故は人災だったということになっている。でも、あれほどの高さの津波が来ることを想定してしかるべき対策をとっていなかった、という意味で東電が「有罪」なのであれば、あれほどの高さの津波が来ることを想定せず、しかるべき高さの防潮堤を建設したりまじめな避難訓練を実施したりしていなかった沿岸の自治体、あるいは国も、同じように「有罪」ではないか――。そういう視点があることを最近になって知り、私は妙に納得した。

　別に東電を無罪放免すべきとは言っていないが、物事を見るにはパースペクティブが必要だということだ。

　津波被害が甚大だった宮城県の一自治体で震災伝承活動をしている人を取材したことがあるが、その人が「ちゃんと準備をして正しい判断をしていれば、あれだけの人数は死なずに済んだはず」という現実に向き合う必要を訴えていたのを思い出す。

　天災が起こると、どこから先が「人災」なのかという議論は時間をおいて大抵出てくる。その際、犯人捜しだけでなく、自分自身にも「やればできたのにやらなかったこと」がないか、一人ひとりが省みることでしか、本当の「次への備え」は生まれないと思う。

　などと解説者気取りのことを偉そうに言えるのも自分が当事者ではないからだが、せめて想像をたくましくして、自分ならどうする、という思考訓練から逃げないでおきたい。

各地の災害で日常生活を失った人たちが、一日も早く心安らかな暮らしを取り戻せますように。

■桃にまみれて桃になるの巻

二〇一八年八月三日

夏は本業が若干スローになるので季節労働をしようと、今年は農協で桃の出荷作業のバイトを始めて三日目になる。

去年の夏バイトは、キュウリ農家さんだった。その時の話は以前に書いたとおりで、肉体的に大変だったけどとても勉強になった。ただ、予想外の拘束日数と期間になってしまったため、今年はもっと融通の利く短期の仕事にしようと探した結果、ついに農協デビューとなったのである。

桃は何種類もあるが、主力の「あかつき」の出荷最盛期は七月末から八月中旬。その間、私のような多くの短期アルバイトが派遣会社を通じて各地の共同選果場に集められ、レギュラーのパートさんたちといっしょに作業するわけだ。

生産者から集められた大量の桃をひたすらさばいていく作業は、農業というより完全に工場労働である。長いベルトコンベアが何レーンも並ぶ広い構内、指示は司令室からマイクで行われ、就業中は休憩時間を知らせるサイレンの音が鳴るまで持ち場から離れてはいけない。もちろん朝礼もある。

すごい、ホントにテレビで見たような「工場」だ。こういうところで働く日が来るなんて、東京時代は想像もしていなかったが、どんな仕事でも一度は経験してみるものである。

さて、私は桃の摘花バイトをやったことはあるが、できた実の選別や箱詰めはもちろん初体験だ。短期アルバイターは普通、初心者にとって比較的簡単な箱詰めを担当するらしいのだが、私はどういうわけか最初から選果の方に配属になってしまった。周りはベテランのおばさま方（私から見ておばさまであるから、おそらく六〇代から七〇代とおぼしきご婦人方）ばかり。その厳しいご指導をいただきつつ、桃の色や傷、柔らかさ等で選り分け方を学ぶ。

流れていくベルトコンベアに遅れまいと、次から次へ桃を見つめて触り続けること一日実働八時間。三日もやればなんとかコツがつかめてきて、今日数えてみたら一分間に平均二〇個ぐらいを選別しているので、単純計算すれば八時間でなんと九六〇〇個！　立ちっぱなしで足がむくんだり、桃のウブ毛で手が痒くゴワゴワになったりするのは、まあいちおう想定内である。去年のキュウリバイトに比べたら肉体的にはまだ楽だ。

ところが、びっくりしたのは家に帰って鏡を見たら、自分が桃に見えたことだ。

本当に、自分の顔や手足の皮膚が桃の肌に見えるのである！

その話をおばさまの一人にしてみたところ、彼女も最初の頃、作業後は白いタオルが桃色に見えたそうである。人間の視覚というのはおもしろい。

ただでさえこの時期の朝食フルーツは毎日、桃（もちろんご家庭用の二級品）。あと数日の農協バイトだが、終わるころにはすっかり桃人間に変身しているんじゃなかろうか。

■釜石の夜に

二〇一八年八月二三日

仕事で岩手県釜石市を初めて訪れた。同じ東北でも、福島駅から新幹線と在来線を乗り継いで片道三時間半ほどかかる。じっくり取材しようと思ったらとても日帰りでは行かれない。

この釜石をはじめ、大槌、陸前高田、大船渡、気仙沼、南三陸、石巻など、東日本大震災のとき連日ニュースで報道された地名はたくさんあるが、その正確な位置関係を言えるのは、実際に行ったことのある人だけだろう。私はこちらに来てまずは福島県沿岸の市町村の配列を覚え、ここ一年ほど取材仕事のご縁で宮城県沿岸の地理がわかり、そして今回は初めて岩手県沿岸の自治体の位置を、ちゃんと把握することができた。

さて、初釜石の夜は、取材をアレンジしてくれたホストの皆さんと一緒に、地元の居酒屋で食事をしたのだが、そこに、はるばる東京からやってきたという老夫婦がいた。震災以来毎年、福島〜宮城〜岩手と大震災の被災地を訪ねているのだそうだ。今回も五日間かけて、国道六号を北上してきたという。福島は地震と津波と原発事故の三重苦で大変なんだよ、浪江町なんてまだ帰れない所があるんだよ、などと話していた。「わたし、その浪江町役場で去年まで働いてたんですよ」などと喉まで出かかったが、やめておいた。

八〇歳になるという旦那さんと側でニコニコしている奥さん。「もう歳だから、あんまりたくさん飲み食いができなくて」店主には申し訳ないといい、その場にいる客全員に一杯ずつご馳走してくれた。

おそらくこの夫妻は、見聞きしたことをバンバンSNSで発信するようなことはしないだろう。でも、毎年同じ場所を訪れ、現地の居酒屋で食事をし、そこにいるみんなにお酒をご馳走し、頑張れと言って握手をし、さらりと帰っていく。おそらく行く先々でそうしていると思う。

世の中にはこんな人たちもいるのだ。

なんだかいい気持ち。ビールごちそうさまでした。

■「賊軍」の地より

二〇一八年一〇月八日

今年は明治維新一五〇年。だけど、これを福島県で言うと戊辰戦争一五〇年となる。

自慢する話では全くないが、この歳になるまで日本の歴史なんてとんと興味がなかった。中学校の勉強は全然記憶にないし、高校では日本史と世界史は選択制で、私は世界史を選択した。自国の歴史を知らずして世界史もないだろうと今にして思うが、仕方ない。

そして最近は、むしろ世界というより人類の歴史、いや地球の歴史、宇宙の歴史のほうに関心があって、読む本もそういう類いのものばかりだった。

でも今年はせっかく大河ドラマ『西郷どん』を毎週見てるし、せめて近代日本が生まれた頃の話をちゃんと知ろうではないかと思い、関連本を読み始めたのがふた月ほど前。県立図書館に行くと、ちゃんと戊辰戦争一五〇年コーナーができている。

黒船が来てから明治維新までの大筋はぼんやり分かっていたつもりだが、何冊か借りて読んでいくうち、おそらく学校の歴史の教科書では触れていないであろうディープなエピソード類にも遭遇。東北、福島県、とりわけ会津の人たちが東京というか「国」(明治新政府のつづき)に対して一種微妙な感情を持っているとすれば(本人たちの自覚があるかどうかは別として)、なるほどこういうことに端を発していたのかと、今更ながら理解した次第である。

戦後、首都圏向けの電力供給地として、福島には水力、火力はもちろん、かの原発も建設され、絶対起きないと言われていた事故が起き、その後の顚末はご存知の通りだが、それをも戊辰から続く被虐の文脈で捉える人がいたとして不思議はないと思える。

そんな一五〇年間の恨み辛みも、それこそ宇宙一三八億年の歴史から見れば大した話ではないのだけど、人は「わが一生」もしくはせいぜい「わがファミリーヒストリー」というミクロな視点からは逃れられない。

そういえば、私自身、薩摩と土佐は訪れたことがあるが長州は未踏の地だ。日本もなかなか広いから、その地の歴史に育まれ、人々の暮らしの根底に流れる通奏低音のような文化や価値観は、いくらネットの時代でも実はそこまで全国均一化されてないいんじゃないかと思う。

勝って官軍となった地に暮らしてみれば、また違う明治維新、違う日本が見えてくるのかもしれない。暮らすのは無理でも、出雲大社参詣とあわせて近いうちにぜひ訪れてみたいと思っている。

二〇一八年一一月二八日

■街並みというもの

久しぶりに気仙沼に出張した。四回目だ。

ここは宮城県の最北端にあって、岩手県にめり込むような格好になっている。書き仕事のおかげで、この気仙沼市とその南の石巻市には数回ずつ訪れる機会に恵まれ、この夏はさらに岩手県釜石市にも初めて行く機会をもらった。そのたびに現地のおいしいものを食べ、役得を堪能している。

さて、この釜石と気仙沼と石巻、人口がいちばん多いのはどこかご存知だろうか。東北に来る前の自分であれば、おそらく釜石と答えたような気がする。新日鉄の城下町のイメージがあるからかもしれない。実際、関東の友人二人にこの質問をしてみたら、二人とも釜石と答えた。

答えは、釜石の人口三万人台、気仙沼六万人台、石巻一四万人台で、石巻がダントツに大きい。ちなみに、我が福島市の人口は二九万人で石巻の倍。その前に住んでいた福島県二本松市は五万人台で、気仙沼といい勝負だ。

東京にいた頃は考えたこともなかったが、地方に住み、観光地でない土地を仕事で訪ねるようになって、このぐらいの人口規模なら街の感じは大体こういう感じ、という自分なりのイメージができつつある。スーパーの数とか、病院の大きさとか、コンビニの間隔とか。もちろん地理的その他の条件によっても違うのだけれど、なんとなく公式はある気がする。

そして、何の統計的裏付けもない私の勝手な公式によると、専業化した飲食店が出現するのはおおよそ人口一五万くらいからだ（ほんとかよ）。それ以下の場合、大抵なんでもアリのお好み食堂風業態が主流。そうでなければ生き残れないのだろう。特にカタカナ名のレストランにはその傾向が顕著である。今回、気仙沼で夕飯を食べた店も、パスタありピザありカレーライスあり、さらに海鮮丼やラーメンまであった。考えてみればすごい厨房だなと思う。

その気仙沼はまだまだ絶賛土木工事中だった。いまだに道路の位置も頻繁に変わるそうだ。二年前には数カ所あった仮設商店街はすべてなくなり、代わりにおしゃれな商業施設がオープンしていた。一帯五メートルのかさ上げ後に新築されたホテルの窓からは、朝七時からダンプが作業を始めるのが見えた。その周りにもオープンしたての市営住宅、真新しいドラッグストアとコンビニ。こうして街並みはどこも同じように便利なものに均一化していくのだろう。

それに一抹の寂しさなど覚えるのは、部外者の身勝手以外の何物でもないけれど。

■大河ドラマで一年を振り返るなんて歳とった証拠

二〇一八年一二月一七日

昔から時代劇好きでも大河ドラマファンでも全然ないのだが、今年の『西郷どん』はほとんど毎回見ていた。もちろん最後に西郷隆盛が死んでしまうのはわかっていたが、それでも最終回、一年間毎週見ていた主人公が死んでしまうのはやっぱり悲しいものである。

考えたら、大河ドラマをちゃんと見るようになったのは福島県に来てからだ（歴代大河ドラマで唯一覚えているのは一九七八年の『黄金の日日』。私は中学生だったが、あれは印象的だった）。

二〇一四年初めに東京から二本松市に引っ越して、その年やっていたのは『軍師官兵衛』だった。まだこちらに友人も知り合いもおらず、家の周りは田んぼだったし、週末はさぞ暇だったんだろう。いつの間にか日曜夜八時はテレビの前に座る習慣になっていた。

うって変わって翌一五年は、四月から母が長期入院して毎週末東京に帰っていたから、テレビどころではなかった。大河ドラマは『花燃ゆ』だったそうだが、そのタイトルすら全く記憶にない。

次の一六年は、二月に福島市にマンションを買い、四月に引っ越した。客間ができて東京の友人の週末来福も多少は増えたからか、この年の『真田丸』はチラチラしか見ていない。昔アイドルだった草刈正雄がなんだか面白いキャラクターになったんだなあと、感慨深かったのを覚えているくらいだ。

続く一七年は、ご縁があって復興の手伝いをしていた浪江町が一部避難指示解除となり、そのタイミングで私も宮仕えを完全卒業するという、ある意味記念すべき年だった。書き物の仕事だけでは有り余る時間を使って、やったことない仕事に挑戦すべく農業デビューを達成。そんなで、『おんな城主直虎』をちゃんと見始めたのは、夏~秋の農家バイトが一段落した一〇月末くらいからだったと思う。

そして今年二〇一八年、ほぼ毎週日曜に『西郷どん』が見られたのは、プータロー生活がそれなりに落ち着いてきた証しだろうか。

振り返れば、一年間同じ番組を見続けるという経験は『太陽にほえろ!』以来かもしれない。でもあれは一話完結だったからな。ストーリーを追うドラマでこんなに長いのは初めてだ、きっと。

で、なんですかね、この喪失感(笑)。

最後に西郷さんが敵の弾に撃たれるところなんて、それこそ『太陽にほえろ!』の殉職シーンを彷彿としてしまったのは私だけだろうか。あの演出の賛否はともかく、近代国家ニッポンが生まれるためにたくさんの血が流れたことは事実だ。日本人はつい一四〇年前まで、日本人同士で殺し合っていたのである。

『西郷どん』最終回の夜、布団に入って寝る前の読書は『ホモ・デウス』。前作の『サピエンス全史』ほどスムースに読めなかったので、二ラウンド目である。

七万年前の認知革命以来の歴史から考えるサピエンスの未来はあまりにマクロすぎて、西郷隆盛の五〇年に満たない人生の追体験を終えたばかりの頭にはギャップが激しい。が、つい二〇世紀まで、「平和とは戦争していない状態のことを指していた」（つまり戦争状態のほうがデフォルトだった）という指摘には、思わずまた西郷どんの、いや鈴木亮平の顔がよみがえってくる。

さて、私の福島六年目となる来年の大河ドラマはどう振り返ることになるんだろうか。なんにしても、平和に感謝して新年を迎えたい。

■福島生活六年目にして

二〇一九年一月一〇日

今回の大晦日と元旦は、福島に来てから初めて実家に帰らず一人で過ごした。ボッチの年越しを気恥ずかしく思うような年齢はとっくに過ぎている。十数年ぶりに紅白歌合戦を見て、誰にも気兼ねせずテレビと一緒に歌って踊れたのもボッチならでは、だ。最近やたらと何でも「平成最後」という枕詞が付くが、去年の紅白は平成というより昭和を締めくくるにふさわしい内容ではなかったかと思う。

そして年明け。今年は小売業界も元日だけは休みにするところが増えたと聞いたが、福島駅前周辺ではイトーヨーカドーのみならず、福島県観光物産館も元日から元気に営業していた。従業員の方々は大変だなあと思いながら、その物産館ラウンジにていつもの日本酒飲み比べ。ちょっと贅沢に焼ウニをつまみながら一人まったりと過ごす。

続く正月二日から一週間の帰省中は、例年のごとく実家の掃除と久しぶりに会う友人たちとの楽しい会食に明け暮れた。

東京の外食シーンは本当に贅沢だ。福島ではなかなか食べられないオーセンティックなアジア料理が食べたくて、北インド、カンボジア、四川、モロッコと堪能し、その合間には福島にはない横文字のカフェで長いカタカナ名のドリンクをいただく。どれも確かにおいしかったが、財布はものすごいスピードで薄くなっていくのだった。

実家の母はもう料理らしい料理をする体力がないので、家での夕飯はもっぱら出来合いの総菜である。帰省している娘が作らないのかと言われればその通りだが、普段使わない台所で普段使わない道具と具材と調味料で料理するというのは、結構シンドイのである。そもそも両親の食べたいものと私の食べたいものはほぼ一致しないので、それぞれが食べたいおかずを買って帰るのが合理的なのだ。

それでも福島土産の日本酒だけは多少は一緒に楽しめたから、良しとしたい。

■日帰りで樹氷を見に行けますよ

二〇一九年一月一三日

この連休中、おとなり山形県と宮城県にまたがる蔵王に行ってみた。

去年の夏は有名な「お釜」を見に行って、帰りは蔵王温泉を堪能する日帰りドライブをした。福島の山も温泉も良いが、周辺県にだって素晴らしい温泉があることを実感し、以来、蔵王は私の脳に身近ですてきな観光地として記憶されている。

ただ、ウィンタースポーツ一切しない、寒いのキライ雪キライな私にとって、いくら温泉がすてきでも冬の蔵王に用はないはずだった。だが、ふと手にしたチラシに「絶景の蔵王樹氷号」というバスツアーの案内が。そうだ、寒いからと家にこもっていたらいかん、いっそ寒さと雪を積極的に楽しもうではないか、と参加する気になったのである。

仙台駅から観光ガイドさん付きの大型バスに乗り、途中ランチ休憩を挟んで三時間ほどで蔵王温泉街に着く。そこからロープウェイを乗り継いで、標高一六六一メートル地蔵山頂駅に降り立つ。ところがその日はあたり一面真っ白で視界はほとんどゼロ。パンフに載っているような、青空の下にくっきり浮かび上がったスノーモンスター（樹氷）が見たかったのに……。

それでもスキーやスノボに全く縁のない私にとってこの白銀の世界はまさに非日常。あたりは真っ白でも幸い吹雪いてはおらず、かなり近づけばモンスターたちの姿もなんとか写真に収めることができた。

とはいえ、やっぱりリピートはなさそう（笑）。

連休中だったこともあってか麓のスキー場は人がいっぱい。話には聞いていたが本当に外国人であふれていた。ロープウェイも東京の通勤電車を彷彿とさせるギュウ詰めで、閉所恐怖症気味の私は軽くパニックになりそうだった。もしもっと空いていて、そしてもっと晴れているときだったら、また来たいと思うかもしれないけれど。

帰り、これまた人でいっぱいの仙台駅ビルをブラブラしていると、蒲鉾屋さんのイートインコーナーを発見。つい一杯飲んでしまう。福島の日本酒もいいけど、宮城にもおいしいお酒があるのだよね。

ほろ酔いで新幹線に乗れば、眠る間もなく二〇分で福島に到着。人が少なくてホッとする。仙台市の人口は一〇八万。震災後に増えたと聞いたが、改めて統計を見てみるとその前からずっと右肩上がりのようだ。かたや福島市の人口は去年ついに二八万を切った。東北で不動産投資するならやっぱり仙台だよなと思いつつ、その仙台にほど近く、東京からもそう遠くなく、かつ混雑していない我が福島市こそ穴場なのではないか、と独りごちているのだが。

二〇一九年三月一二日

■普段のこと、になった

車の空調は、昼間は冷風・夜は温風。そろそろダウンのコートをクリーニングに持っていこうか。今年は冬タイヤをいつ履き替えようか。三月一一日というのは（福島では）毎年そんな時期である。

今年も昨日まで一週間くらい、テレビをつければ思い出したように「あれから八年」特番ばかり。いや、思い出すのはいいことだ。思い出してどうするかがポイントなのだけどね。私を含めて大半の人は思い出すだけで何もしないし、翌日の今日はもう思い出したことも忘れているだろう。

こちらに来て六回目の三・一一は、家で一日仕事していた。特別なことは何もしていない。一回目から四回目までは浪江町役場の職員としてやることがあったが、五回目からはフリーの身。三・一一の迎え方も感じ方も、やっぱり変化している。自分の過去五回のブログやSNS投稿を読み直してみると、なんと自分は鈍感になり怠惰になったことかと思う。

というか、すべてがもう「日常」になったんだ。

モニタリングポストも。家々の庭に置いてある除染廃棄物も。「今日の各地の放射線量」も。古びていく応急仮設住宅も。取材で浜通りにいくとき通る帰還困難区域のバリケードも。ほぼ更地になった沿岸部も。「風評払しょく」を訴える役人の話も。三号機の使用済み核燃料取り出し遅れ云々のニュースも。旧避難区域の人気のない通りとイベントで賑わう仮設商店街のコントラストも。そしてその中で営業再開した事業者たちの苦悩と笑顔も。

ぜんぶ、私にとっては「普段のこと」になった。

先日のＮＨＫスペシャル。復興特需が終わりつつある宮城・岩手では、手厚い経済支援によってせっかく営業再開した事業者たちの多くが、融資の返済期限を迎えて再び苦境に陥っているという話だった。たまたま私も取材させてもらったことのある旅館の女将さんが出ていて、胸が痛んだ。

と同時に、おそらく似たようなことが数年遅れて福島にもやってくるんだろうと想像せざるを得なかった。「復興の目玉」として相当な額の公的資金を投入して作られた施設が、ほとんど稼働していないとか一年で休業という話は、すでに福島県内でも聞く。莫大な費用をかけて除染・インフラ復旧をしても「住民帰還率は〇〇パーセントに止まる」で片付けられてしまう。「やっぱり福島に注ぎ込んだあの金は無駄だった」などと言われない、言わせないためにはこれからが正念場だ。そのために自分ができることってあるのか？　それは何なのだろう。

そんなことを思案し始めたのも、昨日今日ではない。ここ数年はいつも脳裏にある。ちゃんと書けるような答えが出ないまま、今年の三・一一も過ぎていった。

■初めての宇都宮ギョーザと初めてのタンマガーイ瞑想　二〇一九年三月二六日

人生で初めて宇都宮駅で降り、駅ビル内の餃子店に入った。

メニューには焼き餃子のほかに水餃子、揚げ餃子、さらにパン粉をつけたフライ餃子というのもあった。さすが餃子のまちを標榜する宇都宮。バリエーションにも工夫がある（我が福島市にも円盤餃子という名物があるが、円盤状に並べたプレゼンテーションを可能にするためには「焼き」しかない）。久しぶりの肉食で翌日の腹下しを若干恐れつつも、ご当地モノは頂かねばならぬ。水餃子と焼き餃子を食したら、ふつうにおいしかった。

惜しむらくはビールが飲めなかったことである。運転する予定があったわけではない。その日の夕方から二泊三日でタイ国のお寺さんが主催する瞑想合宿に参加することになってたからだ。

宇都宮からローカル線に乗り換えて三〇分、そこから車で一〇分ほど。ゴルフ場に囲まれた昔の温泉ホテルがいまは「タイ瞑想の湯」という施設になっている。一見ちょっと怪しげな名前だが、タンマガーイ寺院という世界三〇カ国以上に別院を持つ立派なお寺の運営で、オレンジの僧衣をまとったタイの出家僧たちが瞑想指導してくれる。

といっても、ここは私が自分で見つけたのではない。東京の友人Kさんに誘われて初めて、日本にこんなものができているんだと知った次第。

マインドフルネスとかメディテーションというのは世界的に一種ブームになっているらしいが、日本人が瞑想といったらまずは座禅のイメージだろう。あるいはヨガマットの上で脚を組み、目を閉じて座っているモデルさんの写真もお馴染みかもしれない。私は両方とも体験してみたことはあるが、たいてい眠くなるか脚がしびれて集中できないかのどちらかだ。そういうときの対処法の説明もなんだかピンと来なくて、自分から瞑想合宿などに参加しようと思ったことはなかった。

今回、誘われるまま予備知識もなく参加した合宿だったが、結論からいうと、このくらいゆるい感じならいいかも！　である(笑)。

もちろん南伝仏教の僧侶の戒律は厳しい。けれどもこのタンマガーイ瞑想法の指導そのものは、どんな座り方でもいいし、途中で動いてもいいし、初心者は眠くなったら眠ってもいいという。むずかしい呼吸法もないし、やたらビジュアルなイメトレのようなことも言わない。「じっと動かないことが瞑想ではない」「眠ってしまっても、覚めたらまた始めればいい」というのが、なんだか目から鱗であった。

ひたすら心身を緊張から解放し、飛び回る心を徐々に身体の中心に鎮めていく。最後は自分と他の全てのものの幸せと悟りを願う、いわゆる慈悲の瞑想である。これを指導するお坊さまたちがみな柔和でとっつきやすい感じ（といっても女性は触れてはいけないが）なのも、また心地よい。

心配した夕飯抜き（寺では正午以降は食べない）も意外につらくなく、かえって朝は身体がすぐ動くということも発見。そして、たった一日半だがスマホの電源を切ってプチ・デジタルデトックスできたのがよかった。わずか二泊三日で何が変わったというわけではないが、なかなか興味深い体験ができ、誘ってくれたKさんには感謝である。

同寺院の東京の瞑想センターでは毎日のように瞑想指導があるそうだ。こういうのが福島にもあったらなあと思う。

この八年間、この地ではいろんなことがあって人々の感情が大きく揺れ動き、心の中に悲しみだけでなく多くの無念・悔しさ・怒りが澱のように沈んでいる。それを解きほぐして洗い流すには、ストイックな禅の瞑想やヨガ体操系の瞑想もいいのだろうが、こういうだれでもできる穏やかな調心のアプローチこそ有効なように感じる。

そんなことは自分がこの瞑想で悟りを開いてから言え、なのかもしれないけど。

■今日から始まった

二〇一九年四月一五日

今日から福島第一原発の三号機で使用済み核燃料プールから燃料取り出しが始まった。夜七時の全国ニュースで一応やってたけど、今度は世の中あんまり騒がないみたいだ。五年前の四号機の燃料取り出しのときは、危険すぎる！　絶対失敗する！　みたいなのが国内外からいっぱい発信されていたのにねえ。

なぜ覚えているかというと、私がちょうど浪江町役場に応援に入る予定の最初の一年間が、四号機の取り出しの一年間と重なってたから。あれだけ騒いで不安を煽っておきながら、無事終了したときには大した報道もなかったと思う。

そういえば、除染で出た廃棄物を搬入する「中間貯蔵施設」の用地買収がなかなか進まないというニュースも、三年くらい前までさかんに報道されていたと記憶する。二三〇〇人いる地権者のうちまだ数パーセントしかコンタクトできてないって？　一体これどうするの？　と絶望感を煽られたものだが、いつの間にか買収の契約済みは七割を超えている。ちゃんと「その後」も報道してほしいよねと思うが、それも私を含めた視聴者・読者の関心を反映しているだけと言われればそれまでだ。

季節は巡る。そして生き物は出来事を忘れ、歳をとる。

■「開いててよかった」

二〇一九年四月二五日

コンビニの二四時間営業見直しが話題になっているが、私の身近には数年前からずっと「時短営業」してるコンビニがある。

二〇一四年夏のこと。原発事故のため、当時まだ全町に避難指示が出ていた浪江町で、小売店の再開第一号としてローソンが開店した。私が浪江町役場に入職して一年目のことだったかよく覚えている。

当時、避難区域のなかでも除染が進む「避難指示解除準備区域」では日中の立ち入りはＯＫになっていたが、まだ寝泊まりはできない。除染や復旧作業など町で働く人々も、夕刻には町外に出なければならなかった。そんな中でオープンしたローソンも、当初はたしか午後四時くらいで閉店してたと思う。それでも昼間町内で飲み物や食べ物が買える！　というのは素晴らしく有り難いことであった。

私は当時、勤務先（役場の二本松事務所）も住まいも二本松市だったので、別に普段の生活に不自由があったわけではない。が、たまに仕事で浪江町へ行ったとき、このローソンが再開する前は、小腹が空いても絆創膏を買いたくてもお金を下ろしたくてもガマンしなければならないという経験をした。再開後も、うっかり閉店時間に間に合わないと同じことだった。

浪江町はその後一部で避難指示が解除され、人が住めるようになっている。店も少しずつ増えてきた。現在の居住人口は一〇〇〇人足らずのようだ。が、二店に増えたコンビニは現在でも夜八時に閉まる。

不便だろうか？　おそらくそうだろう。

でも個人的には、あのとき「ガマン」という経験をさせてもらったことを有り難く思う。

欲しいものが欲しいときに手に入らなければ、あるもので済ませる。手に入るときまで待つ。

幸いなことに私はそれで飢え死にする状況にはない。「開いててよかった」の意味を心底理解できたことに感謝している。

■ゴールデンウィークの温泉旅館で働いてみた

二〇一九年五月一八日

今年のゴールデンウィーク。世の中は一〇連休という人も多かったようだが、フリーランスという「自由の身」になったら連休というものの有り難みは半減した。クライアントはみな休み。アルバイト先も休み。どこも高くて混んでいるし、実家に帰省も一〇日間では長すぎる。いっそ連休期間限定のアルバイトをしようと考えた。

本業ではじっとパソコンに向かう時間が長いため、アルバイトはデスクワーク以外がいい。それもたくさん身体を動かす仕事ならエクササイズと一石二鳥! などという甘い考えのもと、世の中が休んでいるとき最も忙しい場所、つまり観光地の宿泊施設で接客業(の裏方)というものに初挑戦したのである。

お世話になったのは、岩手県のとある温泉旅館。一言で結論を言えば、予想通り大変な仕事だったがやってよかった。何事も、実際に経験してみるまで分からないことはたくさんある。

ひとくちに宿泊施設といっても規模や業態は様々だから、今回の私の経験が業界全体に当てはまるとは思わない。が、おそらく中小規模の温泉旅館というのはどこも似たようなものではないだろうか。世の中が一〇連休なら、彼らは一〇連続勤務である。その後に交替で一〇連休がとれるわけもない。しかも連日早朝から深夜まで(昼の中休みはあるにせよ)の長時間労働。その合間に一〇分程度で三食のまかないご飯をかきこむ生活だ。

そこでの私の仕事は配膳、清掃、洗い場、布団敷きなど。まさに望んだとおりの「身体を使う」作業ではあったが、エクササイズを兼ねて、などというのは現場を知らない人間の思い上がりだと知る。念のため、と思って持っていった医療用コルセットが大活躍だった。私は短期の派遣バイトなのできっちり一日八時間しか働かなかったが、それでも最初の数日は終わるとぐったり。持ってきたパソコンをやっと開ける気になったのすら五日目である。

フリーランスになってから、いろいろな短期バイトをやってみた。収入の足しにという理由も多少はあるが、いちばんの動機は今まで経験したことのない仕事の世界を知りたいということだ。

二年前はキュウリ農家で週四日、四カ月のバイト。昨年夏は桃の選果場で延べ一週間ほどバイト。四月の桃の摘花やサクランボ授粉バイトは今年で三回目。そしてこの度の温泉旅館。その度に、それまで交わったことのないような人たちに出会った。五年前に福島に来て公務員になったとき、その時点で、あのまま東京で外資勤めをしていたら一生出会うことのなかっただろう人たちと知り合うことができたが、一次産業や接客業の現場は私にとって更なる「別世界」だ。世界は広い。

そして、こうした「身体を使う仕事」でいつも感じることだが、なぜこれら肉体的労働の対価は、いわゆる「頭脳労働」とされるデスクワークより相対的に低いのだろう。通常は「生み出す付加価値の違い」などと説明されるのだろうが、では彼らの生み出すおいしいキュウリや桃、そしておもてなしのサービスには、それだけの価値がないということなのか。どうしてもそうは思えない。

そもそも、こうした「肉体労働」に必要なのは体力だけで頭脳はいらないかといえば、そんなことはない。

今回、旅館の食事で使われる膨大な種類の器の収納場所を覚えるだけでも大変だったが、なによりも、何を言い出すか分からない客のニーズに合わせて当意即妙の対応が求められる接客技術など、少なくとも私にとっては上級中の上級スキルのように思われる（幸い、私が直接応対する機会があったお客さんはみな常識的で優しい人ばかりだったが）。

みなが当たり前に期待する「日本のおもてなし」は、こうして三連休すら滅多にとれない現場の人たちの献身（あるいは犠牲）で成り立っているのだ。日本のサービス業の労働生産性は低いというが、当然である。それが問題だという人は、いちど大型連休に旅館でバイトしてみたらよい。

農業やサービス業（コンビニも介護も含めて）の現場がいまや恒常的に人手不足なのは、周知の事実だ。「正当な対価」の考え方は人それぞれだろうが、なによりも足りないのはこれらの職業に対するリスペクトではないか。私は胸に手を当てて心からそう思う。リスペクトが欠けたまま、日本人がやらないなら外国人にやってもらおうというのでは、早晩おかしくなるだろう。

不特定多数の人が使うトイレの掃除とはこういうものか、なんてこともやってみて初めてわかった。駅にしても公共施設にしても、毎日こういう作業を黙々とやっている人がいる。

次にトイレ掃除の人を見かけたら「お世話さま」と言おう。旅館に泊まったら、お布団敷いてくれる人には「ありがとう」と言おう。いままでみたいに機械的にではなく、ちゃんと心を込めて言おう。

四半世紀以上、一人前に「仕事」というものをしてきたつもりで初めてそんな当たり前のことをはっきり認識できた黄金週間であった。

■東京・渋谷・わたし　二〇一九年六月一七日

月に一度の二泊三日の帰省。前職の同僚や学生時代の友人らと会い、「お母さん／お父さんはお元気？」が挨拶なのはいつもの通り。「いろいろあるけどおかげさまで何とか」と笑っていられるのも有り難いことだ。

今回はスマホの充電器を忘れてきてしまい、電池節約のため都内の電車移動中はスマホをいじるのを止めて車内観察に徹してみた。山手線も京浜東北線も前からこんなに動画ＣＭ流してたかしら？　見回すと乗客の九割方はスマホ画面に釘付けである。当然、車内広告市場は縮小傾向かと思ったが、動く広告ならまだ効果があるということか。

そのCMをまじまじ眺めているうち渋谷駅に着いた。久しぶりの道玄坂に向かう。

このスクランブル交差点を渡るのは人生で何百回目だろう。以前は人の波をスイスイと泳げたはずなのに、今では信号が変わる前に行きたい方向の向こう岸に辿り着くのが難しい。


二〇代の一時期、道玄坂は百軒店の雑居ビル内のジャズバーに通っていたことがある。

一〇人も入ればいっぱいの店内。くわえ煙草でカウンターに陣取り、よく味も分からないバーボンロックのグラスをカラカラいわせ、これまたよく分かっていない一つ覚えのジャズの名曲をリクエストする。三〇年前の自分はそれが格好いいと思っていたのだろう。おそらく私はその店で数々の失態も演じたはずだが、幸か不幸かよく覚えていない。ああいう店のマスターというのはよほど人間が出来ていないと務まらないものだと、今さらながら思う。

そのジャズバー、もう少し「大人」になってからも時たま思い出したように立ち寄って、あぁまだあった！　マスター変わらないね、なんてやってたものだが、最後に訪れたのはたしかもう七、八年前だ。

そうだ、久しぶりに寄ってみようか。マスターは私が五年半前から福島で暮らしてることを知らない。言ったらびっくりするだろうなあ。……いやいや、さすがにもう店はないだろう。当時のマスターの歳からいっても、まだやってたらその方が驚きだ。だけどももしかして……。

と何やら甘酸っぱいような気持ちで雑居ビルの奥を覗いたら、やはりもう看板は変わっていた。

そうだよね。

甘酸っぱさを抱えたまま坂を登り、高校時代の同級生がやっているバンドのライブ会場に向かう。地下に降りる狭い階段。薄暗い店内。タバコの匂い。初めての場所だがどことなく、なつかしい。

年齢層高めなお客さんで小さなライブハウスは間もなく満席になった。どこへ行っても空間に余裕のある福島は大好きだが、最近はまた、東京らしいこの窮屈さ加減も悪くないなと感じたりする。

「ふるさと」という言葉は東京にはなぜか似合わないけど、「ホーム」という表現ならしっくりくる。おかしなものだ。

私にとって「帰る場所」はどこなんだろう。

■夕焼け

二〇一九年七月一五日

福島市に越してきてからめっきり減ったのは、本を買うという行為だ。ロケーションも建物もすばらしい県立図書館が身近にあるのは本当にありがたい。

今すぐ読みたい「話題の新刊」なら本屋に行くが、仕事で必要な資料というわけでなければ一刻を争う話でもなし。一年も待てば図書館の新着図書コーナーに並ぶものも多いし、却って新聞の書評などで予断を持たず図書館側のセレクト企画に乗るのも楽しい。主だった雑誌や新聞も図書館なら読み放題。税金をこういうふうに還元してくれるのはうれしいことだ。

その県立図書館、訪れるのはたいてい昼間だ。信夫山を背にした広い敷地、緑の芝生の前庭を散歩するのが気持ちいい。

それが先日、隣接する県立美術館で夜のアートパフォーマンスがあるというので、初めて暮れなずむ時間に敷地に入った。そしたら、黒い影になりつつある信夫山の上に夕焼けの名残がそれはそれは美しかった。

二本松の工業団地の丘の上にあった浪江町役場の仮設庁舎に勤めていたとき、帰りの駐車場で見上げるこの時期の夕空を本当に美しいと思ったのを思い出す。雲の形も色も、まるでロコ調の絵画を見ているようだった。

東京でこんな夕焼けを見たことがあっただろうかとよく自問した。

当然、気象条件さえ合えばどこでも同じように夕焼けはおこる。でも空の広さが違うから気づかなかったのだろう。

地方に暮らすと同じものが違って見えることは多い。

■ああ、健康保険

二〇一九年八月四日

今年も健康保険税の支払いが始まった。サラリーマン時代を振り返って何に感謝するかといえば、社会保険の半分を会社が払ってくれていたことだ。

私にとっては、消費税よりも社会保険のほうが重税感が強い。保険は相互扶助であり税金とは違うといわれても、加入・非加入の自由は原則なく、所得があれば有無を言わせず課されるのだから税と同じだ。事実、健康保険に関しては保険料とは言わずに保険税という。

消費税は、高額なものを買えば税金も高く、安いもので良ければ税金も安い、という意味においては至極公平な税だと思う。消費の内容によって払う税額をある程度「自分で選べる」とも言える。けれども、健康保険税は自分が享受する保険サービスの多寡とは無関係に負担する税だ。子無しおひとりさまの自分は、少子化を招いた責任の一端をこうして背負わなければならないのだ、などと自分に言い聞かせるしかない。

もっとも、実家に帰ると老いた親が、やれ痛い、やれ痒い、やれ耳が詰まったとかで医者に通い、ただ気持ちいいだけの電気治療を受け、耳掃除をしてもらい、軟膏や湿布を大量に処方されてくるのを目の当たりにする。私の保険税は回りまわってそういう親の治療費を払っているのだと思えば、帳尻は合っている気にもなる。

いま、両親ともに労働収入はない。彼らはひたすら消費するだけ、医療費を使うだけである。

私を含む現代日本人がみな骨の髄まで毒されている「生産性」という指標で測るなら、ほぼ「無価値」である。でも私個人にとっては、「おかえり」と言ってくれるかけがえのない存在だ。思うように動かなくなってきた身体にいらだち、母は「ああ情けない、もう早く死んじまいたいよ」などと口走る。これが自分の親でなければ、「ええ、早く逝っていただいた方がこちらも経済的に助かります」と感じるものだろうか。

その両親も先日の参院選ではなんとかかんとか投票に行った。たまたま私が帰省していたので付いていったが、私なら一五分で行って帰ってこられる距離を、散歩がてらと言いつつトボトボ一時間かけて往復すれば、二人とももうグッタリである。家からスマホで投票できるようになったら便利だと思うが、彼らはスマホ自体持っていない。

ちなみにどの政党に入れるのか聞いたら、母は「安楽死なんとか」というので笑った。実際はどうしたのか知らないが、まぁこういう一票も少なくないのであろう。

私が彼らの歳になる三〇年後、日本はどんなことになってるだろうか。決してバラ色には思えないが、いたずらに怖がるだけではどうしようもない。

いちばんの自己防衛は何か。それはおそらく、寛容になることなのだ。自分にも周囲にも。

もちろん、言うは易しい。努力するしかない。

■なぜ福島第一は「福島」第一なのか

二〇一九年八月二八日

先月から福島市の観光案内所でパートをしているのだが、先日、外国人旅行者から聞かれたこと。

「なぜ、福島第一原発は『福島』第一原発というのだ？」

なぜって、そりゃ福島県にあるからですよ。

と言ってみてからハタと気づいた。他の原発を考えてみると、泊原発（北海道）、女川原発（宮城県）、柏崎刈羽原発（新潟県）、浜岡原発（静岡県）、川内原発（鹿児島県）、福井県なんて四つもあるが、第一、第二、第三、第四でなく、敦賀、美浜、大飯、高浜とみんな立地市町村の固有名詞だ。「福島」と同じく都道府県名を冠しているのは、松江市にある「島根原発」だけのようである。

その旅行者が言いたかったのは、福島という名前が付いていたがために、あの事故の記憶と「風評」は永遠に福島県全体と結びつけられちゃうぜ、ということらしい。

なるほど、そうかもしれない。

もしも第一原発が柏崎刈羽式に「双葉大熊原発」、第二が「楢葉富岡原発」とか命名されていたら、カタカナの「フクシマ」は生まれていなかったんだろうか。

なぜそう命名されなかったのか、ちょっとググったくらいでは出てこなかったので、だれか知ってる人がいたら教えてほしい。

■写真では伝わらないので来てください　二〇一九年一〇月六日

磐梯朝日国立公園内にある景勝地、浄土平。なんとふさわしいネーミングだろう。何度訪れても飽きない。個人的にベストシーズンは九月、リンドウやススキの花が咲くころだが、一〇月に入った今日も十分美しかった。

この湿原の植物たちといい、周りの山々の木々といい、それらの織りなす色のグラデーションはとうてい言葉では表現できない。いくらスマホのカメラが高性能でも、その美しさを画像で伝えることは不可能だ。ここが自宅から車で一時間というのが、私が福島を離れられない理由のひとつと思う。

去年の今ごろ、老親がなんとか二人で新幹線に乗り、私を訪ねて福島にやってきた。高湯温泉に泊まり、翌日はぜひここに連れてきたいと思ったのだが、その少し前から吾妻山の噴火警戒レベルが引き上げられ、紅葉シーズンを前に観光道路の磐梯吾妻スカイラインが通行止めに。浄土平も立ち入り禁止ゾーンに入ってしまった。

地上の浄土を見せてやれなかったのが心残りで今年はリベンジと思ったが、残念ながら彼らはもう電車に乗って遠出するような体力も気力もなくなってきたようである。

今日、一人でスカイラインを走りながら「また来年」という言葉が浮かんだが、飲み込んだ。たしかに季節はめぐる。産直に行けば「ああ、またこの季節が来たか」と思わせてくれる産物でいっぱいだ。私はあと何回サクランボを食べ、ブドウを食べ、イチジクを食べられるんだろう。

今日が最後でも悔いのないように生きないといけないね。こんな極楽浄土に行けますように……。

■何を学ぶか

二〇一九年一〇月一七日

生まれて初めて災害ボランティアというものを体験した。

各地に甚大な被害をもたらした台風一九号。福島市内でも私の家からさほど離れていないエリアが局所的にかなりの深さで浸水した。テレビでは見ていたが、初めて現場に入って人の身長よりも高いところに水の跡が付いているのを見ると、本当に恐ろしいと感じる。津波のように家ごと流される被害はなかったのが不幸中の幸いで、水が引いた後の家々は一見ふつうに建っているのだが、中はものすごいことになっていた。

この日の活動は一階の鴨居付近まで水につかったお宅の片付けを二軒。めちゃくちゃになった部屋の中にあるものをとりあえず全て外に運び出すのだが、その過程で図らずも、そのお宅の生活の全てが見えてしまう。

家具や家電、食器や衣類はもちろん、泥まみれの中から出てくる細々したものたち。明らかにお仏壇の中にあったものや、きっと大切であろう写真類などはすぐに見分けて家主に渡せるも、他のものは基本的には全部まとめてビニール袋に突っ込んでいくしかない。その中にだって持ち主の思い出が詰まった品々はたくさんあるのだろうが……。

そして、泥水を含んだ畳がこれほど重いとは。古いお家なだけに、最近よくあるナンチャッテ畳ではない。本物のイグサの立派な江戸間サイズだ。一枚運び出すのに若い男性でも四人では足りない。絨毯もしかり。個人的には最近やっと和室の良さが分かってきたところだったが、こうなるといちばん楽なのはやはりフローリングですね、としか言えない。

この日のボランティアは、福島大学の学生グループをはじめ総勢三〇人余り。若い男性が少なからずいたおかげで、五十路のおばさんは比較的軽いものの片付け担当で済んだ（それでもかなり腰にきて翌日は使い物にならなかった。情けない）。が、これが高齢者ばかりの集落で若い男手が来なかったら、本当にもうお手上げであろう。

こうした住宅の浸水以外にも、主要国道が土砂崩れや路肩崩落で通行止めになったり、ローカル鉄道が運休したり。私にとっては、自分の生活圏内で経験する初めての大規模自然災害となった。それでも私個人の生活に全く支障を来していないのは、幸運以外の何物でもない。

台風一九号による福島県内の被災地はもちろん福島市だけでなく、各地で似たような状況だ。

浜通りの一部ではいまだに断水も続いており、一日も早い復旧を願うばかりである。

農作物の被害も恐ろしいことになっているはずだ。一年間丹精込めた作物が一晩でダメになる切なさ。しかも、台風は地震と違って来るのが分かっていながらほぼ為す術がない。素人でも想像するだけで心が潰れる。

この規模の台風は今後、増えこそすれ減ることはないのだろう。せめて日本付近を通らないよう祈るしかない。

■心おきなく、いよいよ熱燗！

二〇一九年一一月二〇日

この三週間でだいぶ季節が進んだ。ベランダから見える吾妻山も安達太良山も、もうてっぺんが白くなり始めている。

夏の間の晩酌は、節約の意味も含めてもっぱら第三のビールだったが、こうして夜の気温が一桁になってくると酒も冷たくないのがいい。ワインなら常温の赤、日本酒ならお燗。福島に来てから日本酒に開眼し、さらに最近は燗酒に目覚めたワタクシ、今日は燗用の酒を二本仕入れた。

私が燗酒にハマったきっかけは、仕事で燗酒の奥深さを紹介する記事を書かせてもらったことだ。インタビューした燗酒の達人によれば、実は福島県のお酒は一般にあんまり燗に向いていないそうである。

今日買った緑川も新潟のお酒。勧めてくれた酒屋さんは、福島の酒は昨今の鑑評会で評価が高いフルーティな香りのものばかりになってしまったといい、そういう香りを出す酵母の種類まで紙に書いて教えてくれた。いま人気の福島の銘柄は、たしかに華やかで甘い香りと味のものが多い気がする。そりゃ温めるのにはちょっと向かないね。

ということで、今日からしばらく新潟の燗酒でコメの香りと旨味を味わう日々が再開する。再開、というのは実は昨日まで五日間ほど断酒してたから。昨日は数年ぶりの人間ドックで、断酒は直前の足掻きというやつだ。その足掻きが奏功してか、各種数値的には何も問題ないというお墨付きをもらえた。

が、最後に内診してくれた年配の医師、私の顔をまじまじと見たあげく「手のひらを見せてごらん。あなた、ずいぶん黄色いね」。

居合わせた看護師さんの手のひらと比べると、うむ、たしかに色が違う。

「白目は黄色くないから病気じゃありません。でもあなた、みかんとか黄色いものたくさん食べましたか？」

はい、ここ数日カボチャとニンジンを大量に食しております。

「あなたは色素を排出する力が弱いらしいから、少し控えなさい」

はあ、五〇年以上生きてきてそんなことは初めて言われた。

だけど、おひとりさまが産直で野菜を買うと小分けされてないのでどうしても「づくし」になってしまうのだ。冷蔵庫には丸ごと一個買ったカボチャの煮たのがまだ残っている。
晩酌のお伴に、今夜も食べちゃうもんね。

■気づいたらこうでした

二〇一九年一二月一二日

先日、中小企業庁から「商品または役務（サービス）を提供している事業者」宛ての調査票が届いた。あら誤配だわ、と思ったが、そういえばいま私は個人事業主という立派な「事業者」なのであった。

フリーランスというカタカナにはなぜかある種の怪しい感がつきまとう（ような気がする）が、事業主を英語で言えばビジネスオーナー。そういう意味では、私って起業したわけである。しかもいちおう移住組だから、いま流行りの「移住起業者」なのだ。

主に首都圏から「移住して起業する人」を、地方自治体はどこも「起業型地域おこし協力隊」などの名目でたくさん誘致・育成しようとしている。ただ呼ぶだけでなく、物心両面のサポートの仕組みを充実させているところも多い。でも私は基本ぜんぶ自力だったよな(笑)。

もっとも、フリーライターなどという仕事は雇用も生まないし、仕入れもしないし、人も呼ばないし、地域経済への貢献はミニマルだから、行政としては支援してまで増やしたい人種じゃないのかもしれない。移住して、「起業もいいけど何より子ども産んでほしい」というのが自治体の本音ならば、四十路五十路の移住者はなおさらノーサンキューなのだろう。

だけど、若くて元気な二〇代、三〇代の起業志望者以外にも、私のような世代の「気づいたら移住起業者」予備軍のサラリーマンは、大都会には数多いるはずだ。まだ引退するには早いが、宮仕えはもう卒業したい、そして経済的にプチリタイヤも可能な（つまり、収入が多少減っても何とかなる）層である。

ワタシら、たとえ域内生産の足しにはならなくても、たとえ長期の人口減少対策には寄与しなくても、ここで暮らせば消費もするし少ない収入なりに税金も払う。まだけっこう残っている気力体力能力を使って、多少なりとも人の役に立つことができるかもしれない。地方創生も、もうちょっとそういう予備軍をターゲットにした政策があってもいいんじゃないかしらん。

もちろん、プチリタイヤどころかちゃんと会社を作って正真正銘起業してる中年移住者だっているが、それを目指すのはかなりハードルが高い。そこまで行かない私のようなフリーのユル起業も含めればもっと裾野が広がるはずという意味だ。

もっともこれ、ミッドライフ・クライシス世代の一種の僻みなのかもしれないけれど。

■こういう世の中についていく

二〇二〇年一月一六日

近所につい先日まで正月飾りが残っている家があって、片付け忘れてるなと思ったが、あらためて「松の内」の期間を調べてみると、一月七日ではなく一五日までという地域もあるんだそうだ。おもに関西方面らしいが、考えてみればどこに住んでいようと、いつまでお正月を祝いたいか個々人が決めてもなんら差し支えないわけである。

クリスマスツリーだって、手間かけてきれいに飾ったらもっと長く楽しんでもいいはずだし、ひな飾りだってもっと長く眺めていたければそうすればいいのに、節句を過ぎて片付けないと嫁に行き遅れる、などと刷り込まれるのはどういう文化か（ちなみに我が家ではちゃんと片付けていたが、娘はこうして行きそびれて今に至る）。

ところで、この正月は実家で感慨深いものに出会った。ここ数年、弟の家族が持ってくる人生ゲームをみんなでやるのが恒例になってるのだが、その人生ゲームが毎年進化する。去年までは、進化するといっても基本コンセプトは同じで、途中で結婚して子どもが生まれたり、家を買ったり、職業を変えたりしながら、ゴールした時点での手持ちの資産額で勝負が決まった。

ところが今年の「令和版」は根本から違っていた。もう、お金というものが人生に介在しないのである。勝ち負けは獲得したフォロワーの数で決まるのだ。盤上をコマが進むのは同じだが、どこに停まっても結婚したり子どもが生まれたり事故にあったり、そういう生身の人間のリアルな体験の類いは一切しない。すべてはバーチャル空間でフォロワーが何人増えたとか減ったとか、そういう話なのである。

最初はへー面白いなと思ったが、二ラウンド目が終わるころには、去年までの、おもちゃのドル札だの株券だのを数えて盛りあがっていた「旧式」人生ゲームと比べて、なんというか、つまらないなと感じた。

もっともそれは昭和三〇年代生まれの感想であって、まだ小学生と中学生の甥っ子たちに言わせれば「令和版のほうが面白い」んだそうである。

ふーむ。今はこういう世の中なのか。

全国的に松の内があけて本格的に二〇二〇年が始まった。どんな一年になるのやら。今年こそ、身体だけでなく心を鍛えて「こういう世の中」についていかなければ!

■福島に住んでたらこんなこともある

二〇二〇年二月一七日

借りている駐車場の大家さんから先週、めずらしく電話があった。片隅に埋めてあった除染土を掘り起こすので、隣の車を私の車にギリギリ寄せて停めさせてほしい、ということだった。それは構わないのだが、へえ、除染土埋まってたんだ。

このあたり、福島駅の周辺も九年前の原発事故直後は一時的にけっこう放射線量が高かったと聞く。ビルはみな外壁を高圧洗浄し、未舗装駐車場や一軒家の庭は表土を剝ぐという「除染」をしたそうだ。それで出た除染土（環境省的には「除去土壌等」という）を家々の裏庭の隅にビニールシートで覆って保管してあったことは、私も福島市に引っ越した四年前はよく目にしたので知っていた。

が、そういうスペースがない場合は、こうやって敷地の地下に埋蔵保管してたのか。地上保管されてたやつは、そういえばいつの間にかなくなってるような気がするが、地下の掘り起こしは今ごろなのか。

県内各地でこういう除染が行われ、それで出た除染土は、第一原発の近くに作っている「中間貯蔵施設」というところへ二〇一五年度から搬入が始まった。会津地方など最も遠いところから運び出し始めて、これまでに福島市内の除染土も四割方は搬出が終わっているようだ。

といっても、今回私の借りている駐車場から運び出された除染土は、直接中間貯蔵施設に行くわけではない。まずは福島市内の仮置き場に持っていく。市に確認したところ、そこから令和三年度末（つまり二年後）までに搬出される予定なんだそうだ。仮置き場というのは地区ごとに作る前提らしいが、私の住む地区に関してはつい最近まで仮置き場の場所が決まらなかったというのが、おそらく掘り起こしが遅くなった原因（の一つ）なのだろう。

で、今日がその大家さんが言っていた掘り起こしの日だった。作業自体はすぐ終わったようで、昼ごろ確定申告しに税務署へ行くため車を出す際は、何も問題はなかった。

車で一〇分の税務署。申告時以外に用はないので一年ぶりだ。その隣の広い敷地はまた別の除染土仮置き場になっていて、黒いフレコンバッグの山が否応なく目に入る。中間貯蔵施設への搬出はまだのようだ。

ここは福島駅からもそう遠くない市街地で、信夫山の麓、反対隣は公園だ。最初見たときは異様な光景だと思った。数年たてば見慣れてはくるが、やはりコレが残っているうちは完全に「平常時」に戻ったとは言えないような気がする。

仕事で浪江町方面へ行くときは国道一一四号という山越え道を通るのだが、ここは中間貯蔵施設への搬入が本格化した一昨年くらいからいつも、「除去土壌等運搬車両」の目印を付けたダンプがたくさん走っている。道が細いところですれ違うのに最初は多少怖かったが、私の知る限り乱暴な運転の人はいないし、可能な限り道も譲ってくれる。何よりこの運転手さんたちがいなければ除染土搬出はできないのだから、個人的にはむしろ礼を言いたい気持ちである。が、やはりこれは一種「異常な」道路状況なんじゃないかと思う。

福島県はいまだに「復興」という言葉をよく使う。でも、何がどうなったら「復興した」と言えるのか。あまりその辺の突っ込んだ議論は聞かない。まずは県内の除染土フレコンバッグの山がぜんぶ中間貯蔵施設に運び込まれて、生活道を除染土運搬ダンプが通らなくなって……。そこで少なくとも浜通り地方以外の福島県の「復興プロセス」はひとつの区切りを迎えるとは思うが、それで終わりというわけでもない。

その浜通りでは来月、いよいよＪＲ常磐線が全線再開通する。双葉町でも来月初めて一部の避難指示が解除される。一歩ずつ進む。

でも、帰還困難区域はまだまだ残っているし、旧避難区域の居住人口はまだまだ戻らない。自治体はまだまだ通常の課税に戻れない。原発事故の後始末はまだまだ終わらない。

あらためて難儀だなあと思う。

■フクシマフィフティ

二〇二〇年三月九日

映画『Fukushima 50』を観てきた。

いろんな見方があろう。福島県民と県外の人、同じ県内でも浜通りと中通りの人、避難区域にいた人とそうでない人。受け取り方、感じ方は違うと思う。でもやはり、この映画が世に出た意味はあると思うし、多くの人に観てほしいと感じた。

映画の冒頭に「これは事実に基づいた物語です」という断りが入るとおり、ノンフィクションとはいっても、当たり前だが一定の脚色は施されている。ほんとうに事実を知る人たちにとっては、一種の気持ち悪さを感じるところもあるかもしれない。

私が浪江町役場で広報の手伝いをしていたとき、大震災直後の浪江町を題材にした、ある芝居の脚本の確認依頼を受けたことがあった。あの日あの時浪江にいたわけではない私に真偽の判断はできないので、当時を知る周りの職員に聞くと、やはり細かいセッティングが「事実と違う」部分は多かった。

しかし、突っ込み始めればきりがない。このときも「事実に基づく物語」という一文を入れてもらうことで決着した。

映画も芝居も、報告書や記録誌とは違う。その意図は別のところにある。私が感じたこの映画の意図は、あの日あの時あなた自身は何処にいて、何をして何を考えたか、もう一度思い出せということだった。


九年前の三月一一日金曜日。私は東京都港区にある、某米国大学の日本校の広報をやっていた。大学といっても普通のオフィスビルに入居しており、私のオフィスは四階だった。

東京もたしか震度五強だったか、今までと違う大きさの揺れに急いで階段を降り、道路に出た。今でこそ「あわてて外に出ず、まず机の下」が常識なのだろうが、そんな心の準備はなかった。当時は直前にニュージーランドで地震が起き、建物倒壊のシーンが記憶に新しかったこともある。

このとき、詳細は覚えていないが私はおそらく、真っ先にオフィスを飛び出したのだ。

当時、私はスタッフ五人を持つマネージャーだった。日本の大学と違って春休みではなかったので、同じフロアに学生たちもたくさんいた。隣は学長室だ。なのに、気が動転した私はスタッフや学生を先に逃がすでもなく、どんな行動をとるかを学長と話すでもなく、我先に階段を駆け下りたような気がする。

結果的に建物はまったく無事で、スタッフも学生もケガ人などは出ていない。が、しばらくして「自分は真っ先に逃げた」ということに気づいたときの、あの恥ずかしさ。しょせん自分はこの程度の人間なんだという気づきは、どれほど受け入れ難くても真実だった。

続く数日間は、まるで映画の中にいるような感覚だった。

学生も教職員たちも外国人が過半。米国だけでなく多国籍だ。みな自国大使館の飛ばすチャーター機で、あるいは自力で、どんどん西へ、国外へ出ていった。一週間後には米国本校がチャーター機を飛ばし、残った外国人学生を隣国へ逃がした。同時に、日本人学生向けには関西方面へ向かうバスがチャーターされた。

混乱のさなか、米国人の学長と日本人の副学長、そして私と三人で学長室に集まり、もうこれで終わりかもしれない、といって涙したのを覚えている。もちろん、映画『Fukushima 50』の中の同じセリフとは意味も重さも違うのだが、そういう気分だったことは確かだ。

そして計画停電。私は自宅も職場も二三区内だったから免れたが、川崎の実家に帰ったとき一度だけ、停電を経験した。午後三時、いっせいに電気が消える。ぜんぶ信号の消えた道の不気味さ。たかが三時間だが、あれを体験できたことを今となっては有り難いとさえ思う。

あのとき、考えたのだ。私たちは電気がどれほど必要なのか。その必要な電気を賄うため原発は本当に必要なのか。知らないなりに考えたのだ。

原発に賛成でも反対でもいいから、自信をもってその理由を言えるようになること。そのために考え続けることの大事さを、この映画は思い出させてくれた。

災害があるたびに、残された人たちが何かを学びますように。残された私が何かを学びますように。

■九周年回顧

二〇二〇年三月二二日

世の中テレワークとやらが流行りだが、もともと「家で仕事」が基本の私は大して違和感はない。ただ、仕事が端境期で時間がたっぷりある。そこで唐突だが、今回は思い出話をしようと思う。

四年くらい前のこと。当時、原発事故で全町避難中だった自治体に応援職員として勤めていたとき、役場にはいろんな電話がかかってきた。その中には、町民が避難している先の県内自治体住民からの「お前らはけしからん」という電話もあった。

一時期、毎日のようにかけてくる年配の女性がいた。

「あんたら住民税も払っていないくせにゴミ出しがなってない」、「あんたら高速道路も医療費もタダだから、あんたらのおかげで病院は大混雑で迷惑だ」、「あんたら賠償金で御殿を建てたと思ったらこんどは高級車かい」。熊本地震があったときは「あの人たちはあんなに大変な思いをしてるのに賠償金なんか一円ももらってないんだ、あんたらもらった金を熊本の被災者へ送れ」等々。

こちらはひたすら、はい、はい、と聞き続けるしかない。最初はただ難儀だなあと思っていたが、そのうち複雑な気分になった。その女性はときに一時間以上もそうやって思いのたけをぶちまけると、最後には我に返って言うのだ。

「どうしてこんなことになっちゃったのかねえ……」

続けて、「あんたたちも大変だね、がんばりなさいよ」などと言うときもあった。実際はその女性も「被害者」なのだ。気の毒だと思った。

同じ福島県内でも、さらに同じ自治体の中でも、放射性物質による汚染度合によってナントカ区域・ナントカ区域というものに分けられた。そもそも汚染の濃淡が行政区の境とぴったり合致しているわけもないのに、その線引きに従って賠償金が出るかどうか、出る場合もその多寡が決まった。道路一本挟んでという状態がたくさん生まれた。

おカネが絡むと変わってしまう人は多い。その女性の気持ちもよくわかる。こんなことがなければ、おそらくクレーム電話を長々とかけてくるような人ではなかったのだろうと思う。

同じころ、町民に対して国から避難指示を解除したいという説明をする、一連の「住民説明会」というものが行われ、私も役場職員として何回か出席した。といっても私はもちろん会場設営スタッフの一人であって、檀上で説明する側の立場ではないのだが、あれほど「いたたまれない場所」を経験したことはなかった。

意見を言う多くの町民は解除に反対だった。反対意見というよりは怒りの表現だった。受け答えはどこまでもかみ合わなかった。

ほんとうは放射線量が心配だからではない、解除されて避難区域でなくなったら賠償金がもらえなくなるから反対なんだろう、という揶揄も世間にはあった。実際、解除の是非を話し合うはずの場で、発言は賠償金にも及ぶことが少なくなかった。

「どうして〇〇町と〇〇町とでは同じ〇〇なのに賠償金の扱いが違うのか」等々。

やっぱりカネなのか。

いや違う。ほんとうはカネの話なんかではない。元に戻せと言ってもどうやっても元に戻せないことはわかっている切なさ。結局カネでしか落とし前のつけられない悔しさ、無念さの発露だったのだと思う。

とはいえそのカネ自身がまた、一種の麻薬になり得る。

あれから九年。賠償金も補助金も税の減免もそうだ。それがなければやっていけない状態がそれほど長期間続けば、「中毒」になってしまったとしてどうして責められよう。

もちろんそうならず、想像を絶する努力で自ら道を切り開き、がんばっている人たちは少なくない。そこに「希望」を見出し、彼らを応援すればいい。実際、私はそういう人たちの話をたくさん書く機会をもらってきた。マスコミの「三・一一から九周年」特集は新型コロナのせいもあって至極控えめに見えたが、そういう「希望」を扱う記事も多少は全国の人の目に触れたはずだ。が、一歩ひいてマクロで眺めるとどうか。

いまだに帰還困難区域が残っているという現実だけからいっても「福島の復興は道半ば」なのは客観的事実だ。けれども、おカネが途切れると困るから「まだまだ復興してません」と言い続けなければならないとすればアリ地獄である。

少し前、同じ首都圏からの移住組ライターのYさんとこの話題を話していて、「ほんとうは復興なんてしないほうがいいんだ」と口走った自分に、自分で驚いた。なんでそんなことが口をついたのか。その理由の少なくとも一部は、おそらく、私自身も「復興予算」という名目で降りてくるお金のおこぼれに与る仕事をしているからだ。

いや、こんなことは書いてはいけないことだった。書いてもしかたないからだ。福島にはこんなフクザツな問題がある、ということを知ってもらったとして、だからそれが何につながるというのだ。

同じ社会問題でも、たとえば児童虐待とかプラスチックごみとかの話であれば、それについて発信し社会的関心を高めることで政治イシューになり、やがてなんらかの政策につながるかもしれない。あるいは個人の意識が高まり、行動の変化が課題解決につながるかもしれない。だけれども、この、おカネによっておかしなことになっていく福島の（一部の）問題というのは、当事者以外が知ったところで「大変ねえ」としか言いようがなかろう。

既にこの地の「問題解決」のために、国のおカネはこれ以上ないほど注ぎ込まれている。日本の他の地域がこの現状を他山の石として学ぶことがあるとすれば、いったい何なのだ。

これほど多くの人を苦しめてきた事象から得られる教訓は？　同じことを繰り返さないための教訓は？

どうしてこんなことになっちゃったのか……。

繰り返す以外に今の私に答えはない。新型コロナ禍の裏で、数々の問題は静かに進行していく。

第三章　パンデミックの日々で考えたこと

（二〇二〇年四月〜二〇二三年一月）

■わたしの夢

二〇二〇年四月五日

二月の話になるが、ひょんなことから福島市のコミュニティラジオのゲストに呼ばれた。大場秀樹さんという福島県議の方がパーソナリティをつとめる『一隅を照らす』という三〇分番組だ。なんでワタシが？　と思ったが、好奇心のほうが勝り、結局しゃべらせてもらうことになった。

私は自分でモノをつくったりコトを興したりすることなく、ただ見たことや聞いたことを文字にする商売である。だから「私ならでは」の一次情報コンテンツはゼロとは言わないまでもごく僅かだ。それでも構わないんですよ、という大場さんの巧みなリードとさすがはプロの編集テクニックで、なんとか番組としては成立していたのかな、とは思う。今回はいつもより聴きごたえがないと思われたリスナーにはたいへん申し訳ないが、私自身は大変よい経験をさせてもらった。

私は人に取材するのが仕事であるから、ふだんは質問する側である。質問される側になるのは、就職面接以来だ。昔から苦手にしてきたのは「やりたいこと」や「将来の夢」系の質問なのだが、今回も最後の一問はやはりそれであった。

事前に質問リストはもらっていたから、なにか番組の主旨に合うような気の利いた「夢」を語れないかと数日考えてみたのだが、どうしても、「お布団の上で笑って死ぬこと」という、まるでウケを狙ったと思われかねないアホな答えしか浮かばない。結局、収録本番でも正直にそう言うしかなかった。

その数日後には、何気なく参加してみたトークイベントにまさかのグループワークタイムがあり、そこで「あなたは何を大切にして生きているか」と聞かれてハタと困った。今度は予期していなかったので心の準備もない。幸い一緒のグループに場をまとめてくれる方がいて、私は曖昧にニヤニヤしながら黙っているだけで時間が過ぎてくれたが、我ながら頭の空っぽさに呆れてしまった。

世間には、やりたいことがたくさんあって夢を語るときりがない、という人が数多いる。私はそういう人たちを心底うらやましく思う。

一方で、でもなあ、と思う。実際、夢を持つってそんなに大事なことなんだろうか。なんて自分探し真っ只中の高校生のようなセリフだが、おそらく五十路のワタシはまだ自分を探しているんである(笑)。

いまあらためて「大切なものは何か」と聞かれれば、おそらく「自由」と答えると思う。が、その自由とは所詮、「東京に住むか福島に住むか、あるいは他の場所に住むかという選択肢があり、私はそのどれも自分の意思で選ぶことができる（そして、そのための必要最低限の金銭的余裕がある)」という程度のものだ。

むしろ私は何を諦めたか、何を手放せたか、という方を数えて生きるのもアリなんじゃないだろうか。これは自分探しというより「自分無くし」の旅だけれども、これはこれで道のりは遠い。そもそも目的地に向かって旅しているというアナロジー自体が間違いだ、という話もある。要は探す必要も無くす必要も感じてない状態こそ、理想なんだろうが。でもまあ、これ以上はなにを言っても言葉遊びになるだけだ。

と、ここまでの大枠は三月上旬に綴ったものだ。くだんのラジオ番組が三月初めにオンエアになったのを聞き届けて書いたのだが、そのまま放置している一カ月間に、世の中まさかここまで新型コロナウイルス騒ぎになるとは。

人間だれしも、いつかどこかで何かの理由で死ぬ。これだけはどうしようもない事実だ。交通事故かもしれないし新型ウイルスかもしれない。火事や津波か地震かもしれないし、肺炎やガンや心臓発作かもしれない。私はやっぱりなるべく「お布団の上で笑って死にたい」けれども、そうはいかないかもしれない。

個人としてとり得る手立てはすべて講じた、そのうえでやってくる死は、心穏やかに受け入れたい。

それが「私の夢」だ。

■英検の勉強はじめてみた

二〇二〇年四月一二日

先月から英検の勉強を開始した。

この歳になってなぜ英検かというと、まずはボケ防止の頭の体操。そして、プチリタイヤを自称はしているが、まだ完全引退はできないので、この先もいくらか使うであろう自分の「英語力」というものをここらで再度客観的に示す資格を取っておくのも悪くないと考えたからだ。

実際に過去問や練習問題をやってみて、私の場合明らかに足りないのは、英作文の能力である。与えられたテーマに対し与えられたキーワード二つを使って一二〇～一五〇語で書くのだが、準一級だとさすがに、昨日食べたものとか夏休みに行ったところ、などというシンプルな題目ではない。

「会社は年功ではなく成績に基づいて従業員の評価を行うべきか」

「日本の高校教育は改善されるべきか否か」

「日本の消費者は将来より多くの輸入品を購入するようになると思うか」

こういう設問に対して自分の意見を書くのだが、それがなかなか難しい。どうしても「そりゃケースバイケースでしょう、前提条件にもよるから一概にイエスノーは言えないでしょう」などとオトナの考えをしてしまうのだ。

試験対策としては、実際に自分がどう思っているかにかかわらず、自分が理由を書きやすい方の答えを選び、物事をかなり単純化した論旨で書かないといけない。目下その訓練中である。

「今般のコロナウイルス禍のおかげで地球温暖化に歯止めがかかると思うか?」

こんな質問が出たらどうだろう。少なくとも一時的にはYESだろうと思う。「コロナウイルス、地球温暖化」で検索すれば、すでに温室効果ガスの排出量が二五%減ったのどうのという情報が出てくる。

短期的に悪いことではなかろう。でも、ダイエット後のリバウンドと同じようにアフターコロナのリバウンドも恐ろしいことになる可能性は高いと思う。リバウンドを止めるには、人々の行動を制限する同様のパンデミックが繰り返し起こるしかないのか。その過程で何百万人が死亡しても、それは現生人類に対する自然淘汰の圧力と考えるしかないのか。

あるいは、次のパンデミックの前に人々の心が変わり、なんでもかんでも二四時間OKという生活様式が終わりを告げ、食べるものは地産地消で大部分まかなうようになり、今回のパンデミックで仕事を失った都市部の人々がみんな地方へ移住して農業に従事するようになったら、違う展開が待っているかもしれない。

いやいや、こんな作文ではとても英検に合格しそうにないな(笑)。

■夏よ来い、桃よ実れ

二〇二〇年七月一九日

福島市は昨日までずっと雨模様。最高気温は二〇度そこそこで、肌寒いくらいの気候が続いていた。今日は久しぶりに晴れ間がのぞき、厚手の洗濯物をめいっぱい干したところである。それにしても九州の豪雨の状況は大変だ。福島でも大被害が出た去年の台風一九号で初めて片付けボランティアを経験した身としては、いま被災地ではどれほど人手が欲しいだろうかと思うと胸が痛い。でも今回は、距離もありコロナもあり、駆けつけるのは無理だ。できる限りの寄付で許してもらうしかない。

福島では今回の長雨で人的被害はまだ出ていないが、これだけ低温日照不足が続くと心配なのは農作物だ。農家だけでなく、福島市民はみんな今の時期、代表的特産品である「桃」の生育状況にはとても敏感である。

自然のものだからいくら人間ががんばっても不作の年は不作なのだが、生産地の状況を知らない消費者には通じない。いくらなんでもこの週明けには、太陽ギラギラ高温多湿、冷酒がおいしい日本の夏が来てほしいのだが。

現地でもぎたてを食べる「くだもの狩り」も一部の観光農園では大きな収入源で、これも今般のコロナでかなり影響を受けている。六月ひと月の短期決戦であるサクランボ狩りは、県外客がほぼゼロのなか、福島市の観光協会が市民向けのキャンペーンを打って多少は挽回できたようだが、いまからがシーズンの桃狩りはどうなるか。今般のＧＯＴＯキャンペーンを巡るドタバタも、首都圏から観光客を迎える側としては複雑な心境だろう。

ついでに感想を言えば、新型コロナに対する反応を原発事故の放射能に対する反応と同列視する向きもあるが、この比較はよほど丁寧にやらないと誤解を招くと感じる。

放射能は人から人へ感染しないが（正確には放射性物質が洋服などにくっついて移動することはある）ウイルスは感染するという違いは明確である。だから、あのとき「放射能がうつる」といって福島から来た人が差別を受けたことと、いま無症状も含めたコロナ感染者が多い東京から来る人を避けることは、「同じ」ではないはずだ。

ただ、「まだわからないことが多く専門家の間でも意見が分かれるもの」に対する一般人の反応が、いずれの方向にも過剰に振れがちな状況は似ているなあと思う。なるべく多様な情報を収集して自分の頭で考えるしかない。

そんなウィズコロナ時代、オンライン飲み会にもそこそこ慣れたが、どうも飲酒量が多くなるという副作用があるようだ。同じ「帰る心配をしなくていい」飲み会でも、友人と温泉宿でゆっくり杯を酌み交わすほうが、心身の健康にとっては絶対いいに決まっている。

温泉、くだもの狩り、絶景ドライブ。オンラインでは体験できないコト消費が全面復活する日が早く来ることを祈るばかりだ。

■メメント・モリ　二〇二〇年八月六日

コロナ騒ぎの中でSNSをツラツラ読んでいると、ウイルスと細菌が同じものだと思っている人が結構いる気がする。かくいう私も、この二つがまったく別種のものだと知ったのはそれほど昔ではない。

一〇年くらい前に分子生物学者・福岡伸一さんの『生物と無生物のあいだ』というベストセラーを読んで、細胞を持つ細菌は正真正銘の生き物だが、細胞を持たないウイルスは生物でも無生物でもないと知り、へぇーと思った。ウイルスは全く代謝をしないという意味において、生物とは言えない。細胞がないから自ら分裂して増えることはできない。が、感染した相手の細胞を使って自己複製し増殖できる、という意味では完全に無生物とも言えない、のだそうだ。

生命あるいは生物の定義はひとつではないのだろうが、私はこの際あらためて、五歳の子どもに「生きものって何？」と聞かれたら何と答えるか、自分なりに考えてみた。

すぐ降りてきた答えは「いつかは死ぬもの」だった。別に哲学的に高尚なことを言おうとしているのではなくて、死んでることの反対が生きてること、という単純な思考だ。が、これを裏返せば、生きてないものは死なない、ということである。

ウイルスが生物でないなら、ウイルスが「死ぬ」ということはないはずだ。ではワクチンなどでウイルスに感染しないようにすることはできても、ウイルスそのものは決して滅亡しないのか？　などと素朴な疑問を抱いたものの、怠け者なのでその後ちゃんと調べることもしていなかった。

ところへ今般、福岡さんの別のベストセラー『動的平衡』という本を読んだら、ウイルスは核酸（ＤＮＡまたはＲＮＡ）がタンパク質のコートを纏ったもので、放射線などを当ててＤＮＡを破壊すればウイルスは「死ぬ」と書いてあった。

なるほど。では、ドアノブをせっせとアルコール消毒すればウイルスは拭き取れるかもしれないが、そのＤＮＡは破壊されないからウイルスは拭いたキッチンペーパーに移動するだけなのか。ゴミ箱の中でもごみ回収車の中でもそのまま、焼却炉の高温でやっとＤＮＡが壊れて「死ぬ」のかしら。残念ながらその辺はコロナ前に書かれた福岡さんの本には書いていないので（そんなことよりもっと面白いことがたくさん書いてある）、詳しい人がいたらぜひ生物学音痴にもわかるように教えてほしい。

さて、こんなことを書くのはウイルスと細菌の違いについて世を啓蒙したいからではない。先ほどの「いつかは死ぬもの」から連想して近ごろ考えることを共有してみたかったからだ。

人間いつかは死ぬ、というのは誰でも知っている自然なことだ。なのに、我々は「死」というものを遠ざけようとしすぎてないか。退治すべき悪者扱いしすぎてないか。どうも戦う相手を間違えている気がするのである。

もちろん暴力や事故による死は根絶を目指すべきだろうし、早すぎる病死もなるべく減らしたい。実際そうやって人類の平均寿命はものすごく伸びてきた。問題は、早すぎるか早すぎないかの線引きがどの辺りか、である。個人的には、還暦過ぎたら生物学的にはもう「早すぎる」とは言えないと思っている。ただ、現代では還暦を過ぎても親が元気だったり、子どもがまだ学生だったりして、そういう意味で死ぬには「早すぎる」状況がほとんどだろう。

私も両親が存命のうちは何としても死ねない。が、二人ともいなくなったらもういつお迎えが来てもいいと感じている。実際、私の世代が適当なところで早く退場してあげることは、次の世代にしてあげられる最善のことだと思うのだ。

いやいや、自分はいま健康で死ぬ気がしないからそんな偉そうなことが言えるのだ、という気もしないではない。二年ほど前、年の離れた妹のようだった三〇そこそこのSちゃんがあっけなく死んでしまったときは、私も「死」を恨んだ。

だが五年前、当時七八歳の母が大病して生死の間をさまよったときは、「どんな姿でもいいから生きていてほしい」とは思わなかった。いま八七歳になる父がまた入院しているが、本人にもう生きる気力がないのであれば、無理に「がんばれ」と言う気にはなれないし、自分が父の立場だったら言ってほしくないと思う。

福岡氏のいう「動的平衡」とは、生命はまさに「行く川の流れは絶えずして、しかも元の水にあらず」だということだ。

全身の細胞は常に壊されては新しく作り替えられている。ひとたび完成すると数は増えないという心筋細胞や脳細胞とて、それを作っているタンパク質分子は入れ替わっている。だから細胞レベルでは数年前の私と今日の私はまったく「別人」である。が、そういう流れの中で秩序の平衡を保っているものこそが生命だと。そうやってエントロピー増大の法則に先回りして、常に古いものを捨て新しいものに置き換えることを繰り返す柔軟な構造こそ、生命だと(ただし、やがて最後はエントロピーの法則が勝ち、秩序は乱れ、生物は死ぬ)。

私が膝をうったのは、これは個体だけでなく種全体にもいえるという部分だった。

福岡氏いわく、「エントロピーの法則がこの世界を支配する限り、一つの生命体が永遠に生き続けることはできません。その意味で、生命現象から見れば、個体の死は最大の利他行為です。ある個体がいなくなるということは、住む場所や食べるものが別の個体にバトンタッチされ、新たな生命がはぐくまれることを意味する」。(『動的平衡ダイアローグ』より)

そう、個体の死は利他行為なのだ。私の感覚は正しかった!

と思ったわけだが、一〇年後には私の身体は脳も含めて今とは別のものだから、死んでも生きてやるぞ!　とか全然違うことを思っているかもしれないな(笑)。

■ごちそうさま

二〇二〇年八月二一日

ナス、トマト、キュウリ、インゲン、オクラ、枝豆、トウモロコシ、シソにミョウガ。そして桃。盛夏である。

私が福島に来て最初の役場勤め時代は、とにかく食べ物を頂くことが多かった。出張土産の菓子はもちろん、兼業農家の同僚や釣り好きのご主人を持つ同僚、お菓子作りが趣味の同僚などから、季節の野菜、とれたてのイクラ、プロ顔負けの手作りスイーツ等々。フリーになったらそういう有り難い職場の頂きものは激減したが、それでも女子会だのなんだので集まると、食べきれないからもらって〜という農産物のおすそ分けは結構頂いた。

ところが、コロナで人と会わなくなったら当然おすそ分けもほぼ皆無になり、せっせと買い出しに行かねばならない。新鮮な旬のものが安く買える産直は大好きだが、難点といえばおひとりさまには量が多すぎることである。中でもシソやミョウガなどの薬味系は、ドサっと一袋買ってしまってからハテどうしたものかと悩み、むしろ薬味から献立を考える日々が続く。

そこへ先日、ＳＮＳの友人の投稿で、叩いた梅干しとミョウガを和えてアボカドに載せるというカンタンレシピを発見。以来、大量のミョウガが見る間に消費されるようになった。ちなみにシソは、カボチャとナスの揚げ浸しに大量に乗っけて爆食いがマイブームである。

七五年前の今ごろ、終戦直後の東京。小学生だった母はひもじい日々を覚えている。お腹を空かせて学校から帰ると、カボチャをぐずぐずに煮たものがオヤツだった。調味料がないから味付けもない。薬味どころではない。夕飯はパサパサのサツマイモ一つ。農業の経験のない祖父が小さな畑を借り、見よう見まねで作ったイモだったが、いくら腹ペコでもまずいものはまずい。泣きながら食べたそうだ。

その祖父はまた、家族のために満員電車で食料の買い出しにいった。痩せた身体に満杯のリュックが重く、転ぶと仰向けにひっくり返った亀のように立てなかったが、誰も助けてくれないのが悔しかったという。

そんな祖父があるとき、わずかな白身の肉を買ってきた。「今日はごちそうだぞ、これはヘルカという肉だぞ」。みんな喜んで食べた後にカエル肉だと知って仰天したそうだ。

もっとも母の記憶もかなり怪しいから、こういう昔話の細部がどこまで正確か分からない。が、戦後の食糧難、特に生産手段を持たない都会の住民にとってコメや野菜などの基礎的食料の入手が困難を極めたことは確かだろう。それらを売る側の農家が「偉そうにしていて悔しい思いをした」という祖父の台詞は母の脳裏に焼き付いているようだ。

たった七五年で世の中こうも変わるとはね。今日もおいしいミョウガと梅干しとアボカドとカボチャとナスとシソを頂きながら、しみじみこれを書いている。

■DXって何よ

二〇二〇年一〇月四日

なんでもかんでもオンライン、ペーパーレス、キャッシュレスが「正しい」という世の中なのに、私のバイト先のひとつは今もって毎月現金を給料袋に入れて渡してくれるし、クライアントのひとつからは今もってハンコを押した請求書原本を要求される。

でも私は、別にそういう選択肢が残されていてもいいではないか、と思う。

実際、私はナントカペイというスマホのアプリは使う気がしない。スイカやナナコで払える店が格段に増えた今、私のキャッシュレスはこの二枚で十分だと思っている（定期的に現金でチャージするから正確には小銭レスだが）。これら簡単なプリペイドすら八〇代の親は使うのを躊躇うのであるから、消費者の「現金で払う権利」だって同様に尊重してもらいたいものだ。

先日いつもの日帰り温泉に行ったら、窓口の中年女性が新入りらしく、かなりモタついていた。お客がカードで精算しようとしているのだが、うまくいかない。昔のようなガッチャンレジではなく、いわゆるスマレジというやつだろう、カードリーダーを出す以前にタブレット画面の操作がわからず固まっている。客の方が諦めて現金払いに変更していた。

ほっとしたのも束の間、次のお客はスマホ画面を見せて何かのクーポンを使いたいらしい。これもお手上げである。「申し訳ありません」と言い残して何度も奥へ上司を呼びにいく姿を見て、順番待ちしていた私は心中で「ちっ」と舌打ちしてしまってから反省した。

この女性に苛立ち・侮りの感情を持つべからず。なぜなら、それはいつか来る日の自分の姿かもしれないから。いや、確実にそうだろう。

フリーライターという仕事上、パソコンとネット環境は商売道具である。クライアントによって指定のコミュニケーションツールが違うから、そのたびにアプリを入れて慣れなければならないし、PCを新調すればもちろん全部自分でセットアップしなければならない。

という程度の意味で、今のところ私は自分が極度のIT音痴だとは思っていないが、技術の世界は日進月歩である。この先、どこでどういう仕事をすることになるか分からないが、願わくは六五歳で年金をもらい始めても働けるうちは働きたい。

ただ、悲しいことに歳をとるほど新しいものに慣れるのに時間がかかるようになるのだ。

年老いていく親に「そんなことが何でできないんだ」と声を荒らげても、後で自分が悲しいだけなのはよく分かっている。子どもがいない私は、他人から面と向かってそんなことを言われる心配は少ないが、代わりに彼らはみな心の中で「ちっ」と舌打ちすることだろう。

こういう同年代あるあるの話題を同年代の友人とリアルでしゃべりあう機会も、コロナのせいでめっきり減った。その欠乏状態が、最近なんとなくボディブローのように効いてきた気がする。

オンラインでも会議はできる。オンラインでも取材はできる。オンラインでも飲み会はできる。こないだは初めてオンラインでヨガクラスも受講した。それは東京時代に通っていたヨガスタジオで、以前から知っているインストラクターのクラスだ。懐かしかった。福島にいながら参加できるなんて、ある意味コロナに感謝だ。カメラ位置もインストの声の大きさもスピードも、きっと試行錯誤を重ねたことと思う。画面越しでも十分楽しめた。

……のだけれども、やっぱりどこかおかしな感覚が残った。

人間はやっぱり、リアルで群れていないといけない生き物なんじゃないかと思う。

こう感じるのも単なる歳のせいなのか。

■Bye Bye Papa

二〇二〇年一一月二六日

七月初めから入院していた父が、一〇月一六日、ついに亡くなった。子より親が先に亡くなるのは順当だから、別に驚くことでもない。悲しくないと言えば嘘になるが、いつかは来る日であった。

直接の死因は肺炎。いまどき肺炎といえば新型コロナを思い浮かべるが、原因はほかにもいろいろある。父の場合は数年前から徐々に嚥下のための筋肉が弱り、誤嚥を続けて肺炎が悪化したということらしい。

振り返って、あの時ああすればこうすれば、という思いはある。コロナさえなければもう少し見舞いにも行けたのに、とも思う。でも今さら言ってもしょうがない。父自身、もうリハビりをがんばって生きる気力はなくしていたので、早く楽になって良かったと思う。

誤解を恐れずに言えば、人には死んで楽になる権利だってあるはずだ。三カ月ぶりに家に帰った父の死に顔は明らかに、生きることから解放されて安らかであった。

子ども好きだった父。母はいちど流産しており、私は待望の第一子だったはずだ。それから半世紀余り。孫の顔を見せるという大事な仕事は弟が担ってくれて、私は好き勝手やってきた。間違っても孝行娘ではなかったが、とくべつ親不孝でもなかったと思う。

だから、まあいいか。最後にちゃんとありがとうも言えたしね。

さよなら、パパ。私は大丈夫。

■刷り込み

二〇二〇年一二月六日

先月初めの話だが、生まれて初めて鮫川村というところへ行った。浜通りの南端いわき市の西隣。我が福島市からは途中まで高速を飛ばして二時間かかる。

日本で三番目に大きい福島県には五九の市町村があるが、各自治体のサイズはかなりバラつきがある。昭和四一年に一四市町村が合併してできた最大の「いわき市」なんて単体でひとつの「地方」を形成している一方、県中・県南の境あたりには二〇〇平方キロ以下の小さな自治体が密集している。世の自治体合併の潮流に乗ることを拒否してきたこれら小さな町村は、同じ福島県民からしても申し訳ないが「それどこだっけ？」な場合が多い。今回私は某団体の取材を頼まれ、もらった資料に所在地が福島市と書いてあったので安心していたら、話を聞くべき相手は鮫川村にいるとわかり、あわてて場所を調べた次第。

初めて訪れた鮫川村は、阿武隈の山間にある、いわゆる「ひなびた山村」だった。中通り地方と浜通り地方の境一帯に南北に延びる阿武隈山地は、平均標高が五〇〇メートル程度だそうだ。日本百名山もなく有名な温泉もなく取り立てて景勝地もなく、はっきり言って地味。日本全国どこにでもある「ひなびた山村」の風景が広がっている。

かたや吾妻連峰に浄土平、磐梯山に猪苗代湖に五色沼、さらに数多の極上温泉が点在する磐梯朝日国立公園が、観光名所として「非日常の自然」とすれば、阿武隈は人々の暮らし、農林業が営まれる場としての「日常の自然」である。

それもまた、いい。

車を走らせていて気分は高揚しないが、なんとなく表情筋が緩む感じ。実際、この一見どこにでもある山村の風景がいい、という理由で阿武隈地域にIターンUターンした人たちを私は複数知っている。

しかし、不思議だ。こういうのが日本人にとって「心の原風景」などと言われれば、京浜工業地帯の真ん中で生まれ育った私でも「なるほど、そうだ」と感じてしまう。一体どこでどう刷り込まれたのだろう。

■変わる

二〇二〇年一二月一二日

福島駅前にあった県北唯一の老舗デパート、中合(なかごう)が八月末に閉店して三カ月余り。大した買い物もしてなかったくせに言うのもなんだが、百貨店というものは無くなってみると意外に不便である。例えばちょっとしたお使い物。菓子折りならどこでも買えるが、少し気の利いたハンカチやタオルセットなどは意外に見つけるのに苦労する。

バイト先でそんな話をしていたら、福島市ネイティブの同僚から「昔は中合の他にもデパートいくつかあったんですよ」と教えられた。昔っていつごろだろう、と思い調べてみると、長崎屋が一九九九年まで、さくら野が二〇〇五年まで営業していたらしい。

駅近くに三つもデパートがあったら結構にぎわっていただろう。それが次々倒れていき、最後の中合も今年ついに力尽きた。屋上のロゴ看板も建物外観の意匠も、古き良き昭和の趣のまま、令和までなんとかがんばってきたのにね。

デパートの苦境は新型コロナ以前から言われてきたことだ。広く浅く何でも売っている、という業態はもはや時代に合わないということなのだろう。最上階のお好み食堂だって、寿司からカレーからラーメンからスパゲティからお子様ランチまでなんでもあること自体が魅力だったのに、いつの間にか逆に専門化していないことがダサい（この表現も昭和だな）時代になった。

人間もどうやらそういうことになって久しい。ひとつの会社でいろんな部署を広く浅く経験してその会社のスペシャリストになる「メンバーシップ型」よりも、どんな組織でも通用するような自分の専門性を磨いて「ジョブ型」で勝負するのが現代風のようだ。

私自身はたまたま、ジョブディスクリプションがあってそれに対して年棒いくら、という雇用契約形態で長年仕事をしたが、告白すれば、決して自ら計画的にその道を選択したわけではない。大学卒業は一九八七年。その頃はバブル全盛の売り手市場だったにもかかわらず人並みの就活を放棄し、安定した日本企業に新卒で就職せず、のんきにバイトしたり夜間学校に行ったり語学留学などしていた私が、結果的に潜り込めたのは外資系企業しかなかった。そして、そこではそういう「ジョブ型」専門職の道しかなかったのである。

その世界を出て、地方自治体という別世界に入ったのが七年前。広報専門の期間限定応援職員だったから、私自身の意識はそれまでのジョブ型と大して変わらなかったが、正職員の人々はまるで違う。数年でローテーションしていく彼らは、たまたま広報の担当になったからといって広報のプロではないし、そうなることも期待されていない。

住民課はもちろん、税務、健康保険、介護福祉、住宅、水道、農政、商工労働、総務、そして選挙のときは選挙事務。行政というものの根幹にかかわる仕事は幅広く、それらをひととおり経験して初めて、一人前の行政パーソンとなり、その町・村のことならなんでも知っているスペシャリストになるわけだ。

私にはそれが「あるべき姿」だと思われた。特に役場と住民との距離が近い小さな基礎自治体では、それこそ住民が求める役場職員だと思うからだ（もちろんジョブ型・メンバーシップ型は優劣の問題ではなく、それぞれ適する仕事があるということだ。なのに、世の中一律「ジョブ型にしないともう時代遅れ！」的な論調が見られて、私は違和感いっぱいなのである）。

このところ福島駅前では再開発が進んでいる。中合跡地にも複合施設ができるそうだ。一足先に完成した小ぶりの商業施設に入っているカフェでお茶をしながら、その向かいに完成間近の福島県立医科大学のビル校舎を眺める。

街並みは常に変わっていく。

新陳代謝は悪いことじゃない。必要な機能さえ残れば。

■光る蛇

二〇二〇年一二月二九日

眼下を光る蛇が通る。後から後から。

川崎の実家に帰る前日に東京駅近くのホテルに泊まった。部屋はシティビューと書いてあったが、むしろトレインビューというのが相応しかろう。

山手線、京浜東北線、東海道線、横須賀線、そしていちばん手前が東海道新幹線。いつもお世話になる東北新幹線が一時間に数本なのに対し、こちらはひっきりなしである。年の瀬の夕飯時、通勤電車にはそれなりに人は乗っていたが、普段の年ならもっとぎゅう詰めのはずだ。長距離列車に至っては回送かと見間違えるほど空いていた。

不要不急の帰省は控えるようにと言われても、父が亡くなってはじめての正月だ。半分ボケた母親を何日も一人にしておくわけにはいかない。普段世話をしてくれている弟に代わり、正月くらいは姉が帰らねばバチが当たる。翌日から遺品整理と大掃除の数日間が始まるのを前に、この一晩だけは自分にご褒美である。

もともと相対的に感染リスクの低いおひとりさまだが、今回は食事も全部ルームサービス。ジムもスパも人数制限だそうで他の客とはほぼ接しない。

今年の年末年始は、一人で閉じこもり気味の母を気分転換も兼ねて逆に福島の温泉へ「疎開」させようかとも考えたのだが、福島市もなかなか感染が拡大している。そもそも頭も脚も弱った母はとても一人で新幹線には乗れない。そう考えると、無理に福島の温泉へ連れて行かずとも、次回帰省したときは、一緒にこんな都心のホテルでプチ贅沢もいいのかも、とも思った。

しかしなあ。

スパの立派なバスタオルで身体を拭き、使用済みタオル入れに放り込むときの罪悪感。お部屋にも一度しか使っていない立派なバスタオルがあったのに。ふわふわタオル地のルームスリッパは、念のため聞いたら案の定使い捨てだそうだ。なんと。これは持って帰ってリユースせねば。

バーに行けば、外したマスクを入れるためのこれまた立派なビニールパウチをもらう。置いて帰ればもちろんゴミになるのだろう……などとけち臭いことを言っているようでは、このクラスのホテルに泊まる「資格」はないのかもしれない（笑）。

実家に帰れば屋根裏をネズミが走り回ってやかましい。干支が終わる前の最後のお祭りか。丑年になったら駆除してやる。

あと二四時間。締めくくる、などという気には到底なれないけれど。

■Uターンもいろいろ

二〇二一年一月一二日

今日の日経の社説は「息の長い地方分散に取り組もう」。

私自身、東京から地方への移住組だし、仕事上も地方創生政策の交付金のおこぼれに与っているので、こういう目線は結構なことだと思いながら読んだ。だが、なんだか大事な点が抜けているようにも感じた。

社説によれば、コロナで東京都からの転出が増えたといっても、転出先は周辺三県がほとんど。首都圏の一極集中是正がほど遠い理由は、以前のように地方からたくさん上京してきているからというより、東京圏から人が出て行かないからなのだ。社人研の人口移動調査では、東京圏生まれの人は九割がその後も東京圏に住む。東京圏に住む人は七割が東京圏出身で、若い世代ほど比率が高い。特に両親とも東京圏出身だと地方に住む比率は一%になるそうだ。

私の父は神奈川県川崎市生まれ。母は東京日本橋生まれだから、その娘がこうして福島に移住しているというのは、その一%の希少な部類に入るということだ。では残りの九九%が東京圏を出て行かないのは、よく言われるように「地方には仕事がない（と思われている）から」だけなのか。

それこそテレワークの推進で、東京の高給を維持したままどこでも働けるとなったら、もっと圏外へ流出してもいいはずだ。でもそうなっていないのは、人は結局、親・親族の問題から離れられないという理由が大きいからではなかろうか。子どもの数が少なく、独身者も多い東京圏はなおさらだと思う。

一度は東京を離れた一%組にしたところで、都会の親が高齢になって「都会へUターン」だって十分あり得る。実際、昨年父を亡くし、高齢の母が一人暮らしとなってみると、いくら甲斐性のある弟が近くにいるとはいえ、近い将来お気楽独身の自分が帰って世話をすべきなのかと悩む。もともとフリーライター稼業は在宅仕事。ミーティングは基本オンライン、最近は取材もオンラインがさらに増え、本当にどこでも仕事ができるようになった。東京でなくてもいいが、福島でなくてもいいのだ。

もちろん、母の方を福島に呼び寄せる可能性も考えなくはない。福島市内ならそれなりに大きな病院も介護施設もある。ただ、既に一度生死の間をさまよう大病をし、それでなくても皮膚科だ整形外科だと病院にかかり、年相応に認知力も衰えた母の場合、まったく新しい環境でこれまでの病歴を知らない医者にかかるのは、おそらく現実的ではないだろう。

そして、いずれ私自身が高齢になって支援が必要になったとき、親族のいる東京圏に戻ることが、少なくとも理論上は最も現実的な選択肢になるはずだ。医療はオンライン診療が解禁されても、身体介助はオンラインでは受けられないのである。

こういう点に、日経の社説はまったく触れていない。

地方活性化のためには、地方出身者が地方へUターンするだけでなく、「東京圏出身者に地方に目を向けてもらうことが重要」という日経の主張はきっと正しい。が、東京圏出身者にだって「帰らねばならない（あるいは離れられない）東京圏という故郷」があるのだ。

日経の提案は、各地方の大都市（大阪、名古屋、広島、福岡、仙台など）を「東京圏への人口流出に歯止めをかける橋頭堡と位置づけて重点支援する」というもので、これは私もその通りだと思う。ただ、そこへ東京圏から人を呼び込もうとしたら、その鍵は日経の言うような「企業の集積」や「大学の研究開発力の底上げ」だけなんだろうか。

高齢者や病気持ちでも何の不安もなく暮らせるという医療・介護先進地になることが、結局一番なんじゃなかろうか。そういう場所がいま日本中どこを探しても無いことが、みんな不安なのだから。

■リサイクル考

二〇二一年一月二七日

先日、本やCDに加えて衣類も処分したかったので、車で五〇分かかる郡山の大型中古販売店に持って行った。もっとも、売るといってもノーブランドの着古し衣料が数着だから二束三文なのは承知である。本だって一冊一〇円クラスがほとんどだし、分量もわずか。福島〜郡山間のガソリン代を考えたらむしろ足が出るくらいだ。だから、今回の行動は、経済合理性よりも専ら「捨てる」ことの罪悪感から逃れるためであった。

衣類の断捨離気分になったのは、正月の帰省がきっかけである。

昨年一〇月に他界した父の遺品整理に精を出したところ、男性用スーツをはじめとする衣類について、紳士服チェーンが大抵のものは引き取って再生してくれることを知った。勇んでスーツケースいっぱいの衣料を二回ほど実家近くの店に持ち込み、店で使えるクーポンと引き換えて大満足。父の着ていた服がゴミにならず、モップでもマットでも自動車の吸音材でも、なんらかの役に立つものに生まれ変わるなら、気分的にはもちろん環境にもいいと思えるではないか。

折しも仕事でサーキュラー・エコノミーの話を聞く機会があった。オランダではジーンズを販売ではなくレンタルするビジネスが成功しているという。なるほど、借り手から返却された使用済みジーンズから新しいジーンズを再生する技術なんて、すばらしい！

だが待てよ……とも思った。衣類を回収し、繊維まで戻して他のものに作り替える、その過程でどれだけ多くのエネルギーが使われるのだろうか。おそらく水も大量に使われるんじゃなかろうか。

リサイクルする過程で原材料の節減を上回るエネルギーや水を消費するなら、もったいないなどと言わず、全部まとめてゴミとして燃やしてしまった方がよほど「もったいなくない」はずである。もちろんどのメーカーさんも、その辺のプラスマイナスを計算した上でのリサイクルなのだろうとは思うが……。

エネルギーや水の節減という意味では当然、リサイクルよりも原型のままリユースされる方がいい。古紙がトイレットペーパーに生まれ変わるより、古本が古本として読まれる方がいい。古着が吸音材やモップに生まれ変わるより、古着のままだれかに着てもらった方がいい。そういう意味では、そのまま再販するのが前提の店に持ち込むのがベターなのではと思う。

あるいは途上国向け等の支援物資として寄付するという手もある。実際に父の衣類の一部はそうやって寄付したのだが、これはこれで現地での産業育成の妨げになるという説もあって悩ましい。

でも、そもそも廃棄かリユースかリサイクルか迷うほど不要品が出るのがおかしい、とも言える。傷む前に飽きちゃう、そんな買い物は慎まなければね。

■これからの天災は忘れる前にやってくる　二〇二一年三月六日

少し時間が経ってしまったが、先月一三日の福島県沖地震の話。

当日、報道を聞いて心配した友人からたくさんメッセージをもらったが、私はたまたまその週末は川崎の実家に帰っていた。築四〇年超の我が実家もけっこう揺れて、急いでテレビをつけたら福島が震度六という。私も福島の友人たちのことを心配して一晩スマホにかじりついたが、幸い知っている範囲にケガ人も大きな被害もなかったようで一安心した。

私は翌日の夕方に福島に戻るはずだったが、東北新幹線がストップ。まもなく復旧するだろうとタカをくくってしばらく静観していたら、再開まで一〇日以上かかるという。あわてて数年ぶりの高速バスを予約し、福島に戻ったのは四日後だった。マンションのドアを開けるときは恐る恐るだったが、幸い室内は拍子抜けするくらいほとんど何事も起こっていなかった。

今回の地震は死者が出なかったためか全国はもちろん県内ニュースでも、もうその後の報道はほとんどされていない。しかし場所によっては、倒壊こそ免れたものの深刻な被害を受けた建物も実は少なくないようだ。常磐道の一部や二本松市内では大規模な土砂崩れもあった。

本当に死者が出なかったのは幸運であり、津波が来なかったことを天に感謝するしかない。

一〇年前も、もし津波さえ来ていなかったら犠牲者の数は桁違いに少なかったはずだし（東日本大震災の死因の九割は溺死）、原発事故も起きていなかったかもしれない。起きていなければ避難生活のストレスなどによる「震災関連死」も起きずに済んだ。それでも大災害であったことには間違いないが、後世にこれほどまでのインパクトを残すことはなかったのではないか。

まあ、今さらそんな「たられば」を言ってみてもしかたない。

今回の震度六も一〇年前の余震だというのだから、東北ではこれからも「その後」はまだまだ続く。福島ではそもそも原発事故そのものが終わっていない。

再びあの規模の（あるいはそれを超える）地震と津波が来ても、私たちはもう想定外とは言えないが、こんどは新型コロナという想定外が日本中・世界中に起こってしまった。結局、すべてを想定することなどできないけれども、それでも起きてしまったことから何かを学び、次に生かさなければ、犠牲になった人たちは浮かばれない。

「風化」＝残された人たちが何も学ばず同じ災禍が繰り返されること、だとすれば、問い続けるべきは、「私は何を残しただろう」というより「私は何を学んだだろう」。心もとないが私も自らに問い続けねばと思う。

■もしもコロナにかかったら

二〇二一年三月二〇日

お彼岸で川崎の実家に帰省。ひと月ぶりの東北新幹線は明らかに乗客数が増えていた。東京駅の人混みも、コロナ前ほどではないがかなり戻ってきている印象だった。

うちの菩提寺はなぜか東京都新宿区にある。墓参りには母と弟と三人、弟の運転する車で出かけたが、ふだんの週末ならさほど混まないはずの首都高が大渋滞。その帰り、甥っ子たちに進学祝いを渡すべく弟の家の近くのファミレスで集合したが、そこも順番待ちの大盛況であった。

これでもし私がコロナに感染したら、どれほど非難を浴び、どれほど肩身の狭い思いをし、周りにどれほど謝罪しないといけないだろうか。

マスク、手洗い、家族以外との会食回避などの予防を心掛けたとしても、人との接触を一〇〇％断たない限り感染する可能性はあり、万一感染したらそれはもう不可抗力である。不可抗力なら責任の取りようがない。取りようがないなら謝りようがない。

しかし理屈はそうでも、もし自分が感染したら私はやはり周囲に対して平身低頭「ご心配ご迷惑をかけた」といって詫びるであろう。そして私が所属する集団（たとえばバイト先）が今度は、世間に対して「ご心配ご迷惑をかけた」といって謝罪しなければならないだろう。

この「世間」という言葉が英訳しにくいのはよく知られた話だと思うが（society＝社会とはニュアンスが違う）、日本では自分自身に非（責任）はなくても、「世間をお騒がせした」（＝秩序を乱した）ことに対して謝罪するのはごく当然と考えられている。だから、成人した子の不始末を両親が謝罪する。社員が職務とは無関係のプライベートで起こした不始末を社長が謝罪する。

思い起こせば一〇年ちょっと前、私が外国大学の広報をしていたとき、日本の有名私大の学生が自宅で大麻を栽培していたというので逮捕され、その学長が記者会見する事態となった。このとき私は当然「もしも我が校だったら」と脳内シミュレーションしたわけだが、学長が出てきて「世間をお騒がせしてすみません」ということにはどうしても違和感を持った。学生一人ひとりの私生活まで大学が責任を持てるわけがないではないか。

でも世間（マスコミ）は暗にそれを求めたし、当時私が参照していた企業向け広報マニュアルでもたしかに、なにか事件が発覚した時はその真相がわかる前でも「まずはとにかく謝罪すべし」と書いてあった。それを要求するのは法律や客観的ロジックとは別次元の何かだ。

「コロナ差別」が問題となり日本の同調圧力の異常さを論じる言説も見られるけれど、「迷惑をかけた＝集団の秩序を乱した」場合に受けるであろう集団リンチへの恐怖は、私自身を含めて日本人の遺伝子レベルに埋め込まれているように感じる。

あえて言えば同調圧力からの自由度には若干の男女差があって、女性の方が比較的自由な分、男性から見れば「わきまえない」とか「忖度しない」とかいうことになるのかもしれない。

……などと考えながら私はやっぱり、川崎駅の混雑したエスカレーターで「右側を一列空ける」（東日本なので）という理不尽な同調圧力に負けたのであった。

■ちょっと悲しいことがあった

二〇二一年四月三〇日

　朝、いつもの荒川土手を散歩していると、ケーンという鋭いキジの鳴き声がする。実は何度聞いても「ケーン」には聞こえないのだが、この国鳥は桃太郎の家来だった時分からそう鳴くことに決まっているのだから仕方ない。七年ちょっと前に福島県に越してきて、生まれて初めてあの独特の音を聞き、「あれがキジだよ」と言われてビックリしたのを思い出す。

　この時期は福島市内でもちょっと街中を離れるとキジの声を聞くのは珍しくない。ただし、たいてい声はすれども姿は見えず。用心深く茂みの中に隠れていて滅多に姿を現さないものだが、先日は鳴き声のほうに目をやると、広い河川敷の中ほどに二羽も容易に見つけることができた。

　なぜかというと、先頃このあたりの河川敷の植生が根こそぎ伐り倒されてしまったからだ。ここには以前、うっそうと茂った草むらだけでなくカワヤナギやオニグルミといった背の高い樹木が何本もあった。芽吹き始めたその木々の根元を本流から枝分かれした細いせせらぎが湾曲しながら潤していく様は、まさに「春の小川」の風景。心が癒やされる場所だったのに。

　無残にも切り株だけが残った河原を目にした朝、私は辺りも憚らず「あ〜」と大声を出した。もうキジが姿を隠せる茂みがない。

　ここは他にもいろんな鳥の住処だったのに、そういえば最近はカモもシギも、ムクドリさえ姿を見ない気がする。春の初めには聞こえていたホーホケキョも消えた。夏にカッコウは帰ってくるかしら。一昨日あたりは雨が近かったせいかツバメが縦横に飛んでいたけれど、他の鳥はどこへ行った？

きっと治水のために伐採が必要だったんだよね。少しずつ緑が戻り、いつかはキジ以外の鳥たちも戻ってくるよね——。

急に殺風景になった散歩コースを歩きながら、私はそう祈るしかないのであった。

二〇二一年六月二五日

■メメント・モリ (2)

ツバメの子育ての時期である。

ツバメは天敵から身を守るために人間の力を借りると、テレビで見た。だから人家の軒先に巣を作るのだ。この辺ではコンビニの自動ドアの上にまで作ってしまうので、入口に大きな扇風機を置いて上向きに回している店もある。

今年は、住んでいるマンションのエントランスの軒下に初めてツバメが巣を作った。ここの住人も管理会社も性根がやさしいので、棒で叩き落としたりしない。代わりに「頭上ご注意ください」という貼り紙が出た。フンが落ちるタイルの上にはビニールを張って保護してある。

先週の土曜日の午後。外出から戻ると、エントランスのタイルの上に小さな灰色の塊が三つ落ちていた。巣から落ちたヒナだった。まだ目は開かず羽も生えかけのヒナ。即死だったのだろう、すでにアリがたかり始めていた。

共用部の清掃をしてくれる管理員はもう退勤したあとで、翌日は日曜日。しかたない、自分の部屋からほうきとちりとりを持ってきて拾い集め、穴を掘る道具がなかったから植え込みの土の上にそのまま置いた。

まもなく親鳥が戻ってきたが、子どもの数が減ったことを訝しがる様子はない。兄弟たちも、まるで何事もなかったかのように口を大きく開けて餌をねだっていた。

それからエントランスを通るたびに植え込みの中をちらりと覗いたが、死んだヒナたちの身体は順調に虫たちと微生物たちに分解され、一週間たった今はほとんど跡形もない。あぁ、生物の身体はこういうふうに分解され自然に戻っていくのだなと思った。

今の日本では土葬や鳥葬はダメだけれども、私もいずれ骨になった後はやはり土か海にそのまま撒いてもらい、生きものの循環の中に戻っていきたい。

いま、巣の中では残った三羽がもうだいぶ大きくなり、小さな巣にぎゅうぎゅうに並んで、親の帰りを待っている。六羽のままだったらとても入りきらなかっただろう。

巣立ちはいつか。

■桃

二〇二一年八月二二日

オリンピックとお盆が終わって、今週末は川崎に帰省を予定していたのだが、首都圏の感染者数まさかの爆増でさすがに躊躇したところ、母の方から今は来なくていいというので、それならばと福島市内でおとなしくしている。

代わりに桃を送れとメールが来た。例年通り七月末には既に一箱送ったのだが、あまりにおいしいから追加で、というご注文だ。

桃には何十種類もあり収穫時期が少しずつ違う、というのは福島に来てから学んだことである。七月に送ったのは「あかつき」で、今から送るのは「幸茜」という種類になるが、桃と言えば生か缶詰かの二択の環境で長年暮らしてきた母に、品種による味の違いが分かるとは思われない（もちろん私にも分からない）。状態がいい「福島の桃」ならなんでもおいしく食べてくれるはずだ。

普段あまり果物を食べなかった父も、一昨年までは桃を送ると喜んで食べていた。

昨年の今ごろは三度目の入院中で、口から食べられずに（誤嚥性肺炎のため）点滴だけで生きていたが、見舞いに行くと言ったら桃が食べたいと言う。ダメなのを承知で、小さく刻んだ桃を持ち込み、看護師がいない隙に一切れ口に入れた。

そのときの「ああ、うまい」という父の声は生涯忘れない。
が、飲み込んではいけないのですぐに吐き出させた。
その二カ月後、父は再び食べ物を口にすることなく亡くなった。

今年送った桃は母が仏壇に供える。私も朝食用の桃を買うたび、遺影に供える。
あともう少し、桃の時期が続く。

■せいぶつ　二〇二一年九月一七日

午前一〇時過ぎ、パソコンを立ち上げたらネットが繋がらない。マンション全体で契約している光回線に有線で繋いでいる。トラブルシューティングしたらケーブル破損かもというので、そんなわけないだろうと思いつつ別のケーブルに替えてみるも、やっぱりダメ。少々焦って業者に電話したら、マンション全体で使えなくなっているらしく、至急原因調査するとの返事だった。

落ち着くためにお茶でも飲もうと台所に行くと、今度はＩＨヒーターがつかない。電子レンジも動かない。もしやと思ったら照明もエアコンもダメ。とりあえず日勤の管理員さんに状況を聞くべく、いつものように階段でエントランスに降りると、案の定自動ドアが開かない。

ふーむ、超局地的な災害に襲われてる気分になる。

とそのとき、ロビー掲示板に貼り紙を発見した。その日の一〇時から一時間、設備点検のため停電すると書いてある。なあんだ。こんな大事なこと、きっと各戸にもお知らせが入ってたはずだが、私が見逃していたのだろう。

それにしてもこんなに電気に依存していて大丈夫なのか、ワタシ？　人間、電気を使い始めてたかだか二〇〇年なのに、もう電気がなければ日常生活が立ち行かなくなった。そのうち、人間自身もお尻からしっぽのようにコードを引っ張り出してプラグインする日が来るんだろうか。

そうやってぜんぶ充電で動くAI搭載アンドロイドになれば、経口栄養は不要となり、したがって排泄も不要となり、生殖もなく病気もなく、死とは部品の劣化によるスクラップにすぎなくなる。ヒトが生物でなくなれば食糧問題をはじめとする様々な社会問題が解決する。

でも、そうやってヒトが「アンドロイド種」に進化するとして、その最大の弱点は逆に「電気がないと機能しない」ってことだ。人間の知能を超えたAIも、人間の身体機能を超えたロボットも、電源がなければ動かない。

ネットにつながらなくても電子レンジが使えなくても、生物であるワタシはとりあえず生きている。外部エネルギー源にプラグインしなくても、とりあえず心臓は動き続けるし、血液は流れ続ける。

あらためて、これってすごいことじゃないか！　と思った彼岸間近の夕暮れであった。

■メメント・モリ⑶
二〇二一年一一月一〇日

最近、死ぬことばかり考えている。もちろん自殺願望があるわけじゃない。

この夏はテレビで「今日はコロナで何人死にました」と毎日のように聞かされていたが、コロナ以外では何人死んだのか、どうしてそっちはニュースにならないのか、不思議でたまらない。

人は誰でも死ぬ。いつかは死ぬ。病気か事故か天災か戦争か、わからないけど、必ず死ぬ。運よく事故死や災害死をまぬかれても、ガンか脳卒中かコロナか、わからないけどいつかは間違いなく死ぬ。若くたって運が悪ければ死ぬ。

残された者がどんなに辛くても悲しくても、生物にとって「死ぬこと」自体は自然なことだ。それは誰でも知っている、当たり前のことだ。

なのに、いざそのときが近づくと、みな全力でそれを排除しようとする。「死」は忌むべきものとして嫌われ、悪者扱いされる。生物として本能的に死を恐れるのは当然だけれども、必要以上に「死」を攻撃するのはいかがなものか。

もちろん自死には問題があると思う。でも考えてみれば、たかが二〇〇年くらい前までの我が国には切腹や殉死という風習があった。美談として語り継がれてきた年末恒例の「赤穂浪士」は集団自殺の話である（そういえば近年は、年末になっても番組をやらないようだが）。人権という概念が定着した近代において殺人は犯罪だが、偉い人の一存で下々の首がカンタンに切り捨てられた時代はそう遠い昔ではない。ちなみに、新石器時代の埋葬跡を調べると、当時は残虐な暴力死が多かったそうである。

そんな死に方も含めて人類史のほとんどの時代、というかつい最近まで、「死」はもっともっと身近なことだった。ワクチンも抗生物質もない時代、疫病だの大火事だの戦争だの飢饉だのが日常に近かった時代、あっという間にすぐ死んでしまうからこそ、人間はもっと真剣に生きていたんじゃなかろうか。

どこかの製薬会社の「治せない病気はなくなるかもしれない」というCMを見たときは背筋が凍った。恐ろしい病気が治せるのはすばらしい。自分がつらい病に侵されたら、やっぱり治してほしいと思うだろう。でも、ほんとうは人が病気で死ねなくなることの方がもっと恐ろしいのではなかろうか。

私もあと数年で赤いちゃんちゃんこを着る歳になるが、これからはもっと「死」を身近に感じて生きていたいと思う。

ところで人間、死ぬときはやはり両親が迎えに来るんだそうである。だから毎日、父の遺影に「あまり遅くならないうちに適当なところで迎えに来てください」と手を合わせている。それも、いま健康だからこそできることなのだけれど。

■紙もいいよね

二〇二一年一一月二〇日

四月から半年間、文章講座というのを受講した。某全国新聞系の通信教育で、月に一度決められたお題で八〇〇字のエッセイを送ると、元記者さんたちが添削してくれる。

告白すると、文章書きは正式なトレーニングを受けたことがない。ずっと企業の広報畑で文章を書いてきて、三〇代前半まではまだ上司が直してくれたが、それ以降はむしろ直す側に回ってしまった。フリーになったいま、仕事で書く文章は世に出る前に誰かしらのチェックが入るが、こうして自分の好き勝手に書くエッセイの類いは、どうしても独りよがりになりがちだ。だから、自分よりも年長で経験豊かな文章のプロに一度見て評価してもらいたいと思って申し込んだのであった。

六回終わって結局、期待したほど赤ペンは入らず。そこそこまともな文章だと評価してもらえた、ということにしておこう。それより私にとって良かったことは二つある。

一つは決まったテーマで書くために想像を膨らます訓練になったこと。「試す」とか「ここ一発」とかいうお題に合うエピソードを、過去に書いたブログからなんとか探し出して焼き直した回もあった。

もう一つは八〇〇字という字数制限のため、とことん推敲して言葉を削る訓練である。ふだん仕事で記事を書くときも同じように削っていくが、ほとんどがウェブ媒体なので文字数はあくまでも目安だ。四〇〇〇字と言われて四五〇〇字書いても普通それほど文句は言われない。

ところが、今回の文章講座はきっかり八〇〇字。物理的にそれを超えることができない。なぜなら、提出が原稿用紙の郵送だからだ。それも講師の講評欄がついたスペシャルサイズの専用用紙。マス目の数が八〇〇字なので、一字下げや改行などしていたら実質書けるのは七五〇字くらいだ。書き慣れた長さではあるが、誰にでもわかりやすく描写しようと思うとどうしても言葉が多くなる。これを削っていくのは、エッセンスを見極めるとてもいい訓練になった。

さて、原稿用紙が支給されるということはとうぜん手書きが前提である。私のように手書きが超苦手な人はどうするかというと、ワードで作ってもいいのだが、それをちゃんと縦書き原稿用紙の仕様でプリントし、専用用紙に貼り付けて郵送せねばならない。

最初、この手続きはいかにも前近代的に思えた。理由はひとえに講師の記者OB・OGのみなさんがパソコン苦手だからだろうと勝手に推測したが、第一回目の添削が返送されてきたら驚いた。講評だってちゃんとワードでタイプアップされ、それがわざわざ専用用紙に合うサイズに縮小して糊付けされてるではないか。そのときは、お互いの手間と苦労がおかしいやらバカバカしいやらで、思わず笑ってしまった。

けれども、回を重ねるうちに、この昭和スタイルも悪くないなと思うようになった。恋文でも何でもないのに、封を開けるときのちょっとした期待感。毎回ワードで打った講評の後に手書きで添えられた講師の一言にもほっこりした。

なんでも画面上で済んでしまう時代だから、かえって紙もいいよね。がさがさという手触り。折ったり切ったり貼ったりの実物感。紙って、やっぱり好きだな。

もうすぐ、年末年始のあいさつ状の時期がくる。

■どこに住んでも

二〇二二年一月五日

まあ年末年始の福島市はよく雪が降った。大晦日から帰省していた川崎は快晴続きだったのに、新年四日に福島駅に降り立ったらまるで別世界だった。中通りの雪は会津ほどではないというが、いまの福島市街の積雪量はネットの写真で見る限り会津若松市街より多い。

生活に車が欠かせない福島に戻って最初に何をしたかと言えば、雪に埋もれたマイカーしんじ君を救出することだ（久しぶりの言及ですがこの間十分活躍してくれてます）。年末にも一度救出したのに帰省中に再びカマクラ状態になっていた。

こういうときの雪の降ろし方には順番があって、まずは排気口が雪でふさがっていないことを確認してから、運転席側のドアの雪を落として車内に入り、エンジンをかける。次はタイヤ周りの雪を掻いて車を少し前進させ、積もった雪はなるべく後ろに向かって落としていく。

公道に出るまでの地面の雪かきはスコップ頼みだ。この作業にもずいぶん慣れたが、腰をかがめてスコップを使いながらつくづく思う——これ、年寄りになったらぜったい無理だ。

前日まで相手をしていた実家の母は、このところますます足腰が弱り、三〇〇メートル先のコンビニにも一人では歩いていけなくなっていた。こんな高齢者が一人で雪国に住んでいたら、冬場はどんなことになってしまうのだろう。

もちろん（福島市のような似非雪国ではなく）本当の雪国ならば、幹線道路にはちゃんと行政の除雪車が入り、隣近所で屋根の雪おろしを助け合ったり、それを請け負う業者がいたりするはずだ。けれども、今後過疎化高齢化がさらに進んだら物理的にそういうことも不可能になっていくんだろう。

さて、私はこれからどこに住むべきか。

こころざしを果たして　いつの日にか帰らん
山は青きふるさと　水は清きふるさと

調べたら、童謡『ふるさと』の誕生は大正三年（一九一四年）だそうである。あらためて聞くと、この歌詞は、ふるさとにウサギやコブナの住む山河があることだけでなく、ふるさとにとどまって志を果たすのは不可能だということを前提している。これが国民的唱歌であるのは、多くの人にとってそれがまさに現実だったからだ。

でも西暦二〇二二年の成人一二〇万人のうち、この歌詞に共感できる人は何割いるだろう。志を果たすのに、東京に出ていく必要はもうない。おそらく物理的な場所はもはや無関係で、これからはメタバースの中を自由自在に行き来してやりたいことをやれる世の中になっていくのかもしれない。

とはいえ、生身の人間は三次元空間でしか生きていけない以上、どこかに生活の拠点を置く必要がある。私は志を果たしたなどと到底言えないが（そもそも志なんて意識したことなし）、これからどこに住むべきなのか、悩ましい。

ビルは高きふるさと　人は多きふるさと

には正直、帰る気はしないのだが。

二〇二二年一月一三日

■変わらない、わけがない

明日からまた福島市内、大雪だという。昨日のうちに買い出しを済ませてガソリンも入れたので、今日はおこもりだ。袋買いしたトマトでじっくりソースをつくり、箱買いしたリンゴでじっくりジャムをつくる。それから久しぶりに日経を隅から隅まで読んで、これから日本もいよいよ本格的に物価が上がるのかなぁと漠とした不安を抱く。

先月、出張取材に行った先の宿で、思いがけず二〇代前半の男子と夕食を共にする機会があった。どういう話の流れだったか覚えていないが、昭和生まれのおばさんは息子のような歳の彼に、聞かれてもいないのにこんな話を説いて聞かせたのだった。

「あなたは生まれてからずっとモノの値段は変わらないものだと思っているだろうけど、三〇年くらい前までは日本も高度成長期とかバブル経済とかいってモノの値段が倍々ゲームで上がっていった時代があったのだよ。五〇年くらい前、私が小学校に上がるころ、実家近くの路面電車の運賃は子ども五円、大人一〇円だったのだよ。それがまもなくバスに変わり、大人料金が五〇円、一〇〇円、そして現在の二一〇円、つまり二一倍になるまでに二〇年とかからなかったのだよ。もちろんその間に平均的な月給も同じくらい上がったんだけどね」。

「これから必ず金利は上昇しますから」。二〇〇四年に私が住宅ローンの借り換え（変動金利→固定金利）をした先の某都市銀の担当者は自信ありげに言っていたっけ。あれから一八年、金利は上がるどころかゼロ付近に張り付いたままだ。

「いまの東京の不動産価格はあきらかに異常です」。二〇一五年にそのマンションを売ったときの担当営業マンのセリフも覚えている。私もまったく同感で近いうち下落すると思っていたが、七年後の今、都心のマンションは値崩れどころかさらに輪をかけた「異常」水準となっている。

ずっとこのままのわけがない。と分かってはいても「変わらない」ことに慣れてしまうと人間は変われなくなる。

もっともいまの「普通」はたかだか二〇〜三〇年の話で、人は人生一〇〇年のうちに何らかの形で必ず社会経済の激変を経験するんだろうと思う。せめて足腰は鍛えておかねば。

■すべては平和な日常のおかげ

二〇二二年二月二七日

先週初めの寒波で、福島市街はまたもや二〇センチくらい積雪した。今年はもう雪はたくさんだ。が、さすがにもうすぐ三月。今回の雪はすぐにとけ、一週間後には日陰を残してほとんど消えた。この辺は中途半端な雪国のため、植木に雪囲いなどしていないのだが、街路樹のツツジは何回も分厚い雪の下に埋もれながらしっかり芽を出している。頼もしい。

先日、このツツジの脇で、とけ残った雪の上にマスクが落ちていた。最近よく見かける道路ゴミである。思い起こせば二年前の今ごろ、どこを探してもマスク売ってなかったっけ。一〇〇円ショップの靴紐とハンカチで急場しのぎのマスクを作った記憶があるが、モノの価値というのはこうも激変するのだ。

オミクロン騒ぎも、今般のウクライナ問題でそれどころじゃない感じになってきた。北京パラリンピック後の台湾有事だってまったくあり得ない話じゃないだろう。

そんななかで東北の太平洋沿岸地域はもうすぐ、一一回目の「あの日」を迎える。昨年はコロナ禍下でも一〇周年ということでそれなりに報道はあったと思う。一〇年という節目で出版されたフクシマ本もけっこうある。でも今年はほんとに静かなアニバーサリーになるのだろう。

それはそれで自然なことで、べつにケシカランとは思わない。

ただ、個人的には、今のタイミングでもう一度、私なりに三・一一と向き合ってみたい、という気になっている。なんて言うと大げさだが、あらためて人の話を聞いたり、本を読んだり、しようと思っているところだ。その結果をどういう形でアウトプットできるか、できないか、それはまた別の話だけれど。

そんなこともこんなことも、すべては平和な日常のおかげだ。当たり前と思っている日常、当たり前と思っている価値観。それがいかに脆いものか、あのときも、いまも、教わっている気がする。

■いまいちど当たり前を疑うべし　二〇二二年三月二三日

まあびっくりした。人生初の震度六。ほんとうに今まで経験したことのない揺れだった。が、幸い今回も我が家では倒れた家具も壊れたものもなく、片付け不要で済んだ。

前回、昨年二月の震度六のときはたまたま川崎に帰省中で数日後に戻ったのだが、そのときも拍子抜けするくらい家の中は無事だった（ただし前回も今回もエントランスのタイル剥落など共用部にはそれなりに被害があった）。

ところが、不思議なもので同じ福島市内でもダメージの程度はかなり違う。周りでは家の中めちゃくちゃ、一〇年前の三・一一の時よりも酷かったという声をたくさん聞く。

うちから徒歩五分の福島駅の駅舎（新幹線側）もかなり大変なことになっている。脱線した新幹線は一週間後の今も不通だが、線路だけでなく駅構内の復旧が間に合わなければ運転再開は無理だ。

といっても、あの地震でこの程度で済んだなんて、脱線した車両の映像を見て、私は率直にやっぱり新幹線すごいよなと思った。駅舎の復旧作業も、少なくとも私の目には非常な速さで進んでおり、やっぱりインフラ企業の責任感はすごいものだと感じている。

そのJR東日本がツイッターで、地震で新幹線が止まったことで「ご迷惑をおかけして申し訳ございません」と発信したのに対し、「自然災害だから謝る必要はない」というコメントが結構寄せられていた。それを見て私はそう感じてるのが自分だけじゃないと知って、ちょっとホッとした。

けど、もうちょっと考えた。もしもＪＲが謝罪の言葉を一言も発していなかったら、もっとバッシングされてたんじゃないか？　日本ではとりあえず謝ることが正しいとされる。自分自身に非がなくても、目の前に迷惑を被っている人がいればとりあえず謝る。そうすると相手も周りも「いやいや、あなたのせいじゃないから」と優しくなる。

電車が止まって謝るようになったのは、明らかに一九八七年の民営化後だ。それまで私は毎日、旧国鉄に乗って高校・大学に通っていた。当時は事故だの何だのでどれだけ遅れても謝罪のアナウンスなどなかった。それがいつの頃からか、車掌が「お急ぎのところご迷惑をおかけして申し訳ございません」と車内放送するようになった。整備不良による車両故障とかなら確かにケシカランが、人身事故の場合はＪＲだって被害者である。最初に放送を聞いたときは、何だか変だなと思った。

でも、慣れてしまってそれが当たり前になった。何があっても止まったり遅れたりするのは迷惑でケシカラン。だから謝るのは当然、て感じになった。

今回の地震の後、大臣がＪＲ東日本を訪れて早く運転再開の見通しを示せといい、私の読む新聞も「脱線したのは過去の教訓が生かされてないからだ」と批判した。確かにそういう面もあるもしれない。でも……と思う。

昨日の「電力需給ひっ迫警報」による節電要請もそう。新聞によれば、東日本大震災の教訓で広域融通を進めるはずだったのに、送電網整備を先送りしたせいでこういうことになった、のだそうだ。電力会社の不作為のせいで、消費者も大口需要家も大迷惑を被ったと。確かにそうなんだろう。実際、暖房切って昨晩は寒かった。でも……と思う。

何でもかんでも「いつでもあっていつでも動いて当たり前」という我々の感覚も、改めるべきなのではないか？　エッセンシャルなインフラ、それを動かすエッセンシャルなワークは魔法で成り立ってるわけではない。だからこそ日頃の危機管理、バックアップ体制構築が重要だけど、電車はだれかが動かしているから動くのであり、電気はだれかが発電しているから使えるという当たり前のことを、使う側は今いちど思い出すべきじゃないかと思う。

特に電気は目に見えないから、空気のように無尽蔵に存在するものと勘違いしがちだが、実際にはたくさんの燃料を燃やしたり、大量の水をせき止めたり、あるいは人為的に原子核反応を起こしたり、という誠に「不自然な」ことをして人間が作り出しているものだ。

水だってそうだ。庭を掘れば安全な井戸水がわくような家はともかく、そうでなければ人為的に水道水を作って届けてくれる人たちがいなければ水は飲めない。

地震でも台風でも爆撃されても、何があっても魔法のように平然と動き続けるインフラ、なんてないのだ。

もちろん、大インフラ企業が形だけ平身低頭してやるべきことをやらないのは言語道断。けれども、有事にあたってモノゴトの優先順位を考えるとき、インフラを使う側の認識も問われるなあとつくづく思う。
とりあえず余震来ないでください。

■老害ってこういうこと？　二〇二二年六月二七日

六月は株主総会の季節だ。二〇年来ほそぼそと株式投資をしているので、この時期は複数社から総会資料が郵送されてくる。どの会社も、たいてい議決権一個しか持ってない私にも数十ページの資料をフルでちゃんと送ってくれる。それを有り難いと思い、隅々とは言わないが一応全ページに目を通し、欠かさず議決権行使ハガキを返送してきた。

それが次回から、総会資料は原則オンライン提供になり、郵送希望者にはフルではなく一部抜粋の資料が送られてくるようになるらしい。そのための定款変更がみんな総会議案になっていたので判明した。理由はわかるし、ぜんぶ賛成はしたけれど、なんだかなあと思った。

クレカの利用明細も郵便で届けてもらっている。いまどき紙で受け取る人は少数派なのかもしれない。実は一度、紙をやめてネットで確認方式に変更したのだが、月に一度しかログインしないものだから毎回パスワードを忘れる。その度に再発行してもらうのが面倒になり、また紙に戻してもらったのだ。それがまもなく、利用明細郵送には手数料がかかるようになるそうだ。理由はわかるけど、なんだかなあと思った。

銀行引き落としになってるマンションの管理費明細は、一昨年から有無を言わさずネット確認になってしまった。管理費・修繕積立金は毎月定額だが、福島（市）の集合住宅では水道料が管理費と一緒に請求されるというおもしろい方式を採用しているため、水道料金部分を確認するには明細が必要なのだ。これも五回くらいパスワード忘れて再発行してもらった後、もう面倒になってここ一年くらいアクセスしてない。パスワード忘れるほうがいけないのは承知しているが、やっぱりなんだかなあと思う。

ゆうちょ銀行は、新規口座開設者だけでなく、いま通帳を持ってる人も次回繰り越すときから有料になるという。私はどの銀行口座もオンラインバンキングと併用しており、普段の生活はネットだけでも不便はない。だが、私の死んだ後に資産を処分してくれる人は、通帳が無くてネット口座のパスワードも不明だったら出入金明細がわからなくて不便じゃないか？

そのまえに、自分が認知症になってＩＤもパスワードも思い出せないかもしれない。

生前の父はＩＤパスワードを全部シールに書いてパソコン画面の周りに貼り付けていた。それダメだよ、と諭したが、いまとなっては気持ちはよくわかる。

デジタル化、ペーパーレス化、キャッシュレス化を進めるのは、効率化・コスト削減が是である限りもちろん正しい。次のイノベーションを生む基礎だというのもわかる。ただ、一定の選択肢を残してほしいとは思う。

そのぶんのコストは受益者負担でしかたない。と、民間のサービスなら思うが、これが行政サービスとなると悩ましいところだ。紙の広報誌を配布するのはコストがかかるから有料にします、必要な行政情報はＳＮＳで配信しますって言えるだろうか。デジタル化先進国ってどうなってるのかな。

ちなみに最近、スマホ画面の文字が本当に読みづらくなってきた。字の小ささではなく（それなら拡大すればいい）スクロールして画面上で文字がダーっと動くのがダメなのだ。昔から頑なに文字サイズを変えない日経新聞（紙版）のほうが、まだ読みやすい。紙は自分の目の方を動かして文字を追えるからじゃないかと思う。

新聞がスマホでしか読めなくなったら、やっぱり困るなぁ。

■なくなったのに気づかなかった……一年も！

二〇二二年七月一三日

テレビはもっぱらＮＨＫ派の私。別に主義主張があるわけではなく単に民放のコマーシャルが鬱陶しいから、というのが最大の理由である。

ステイホームが始まる前から自宅仕事が基本なので、夕方は六時一五分のローカル局ニュース以降、だいたいつけっぱなし。晩酌しながら七時の全国ニュースを見て、読み切れてない新聞など読みながら『チコちゃんに叱られる！』とかを見て、スマホをいじりながら九時のニュースを見て、という具合である。

五月の連休前くらいのことだったか、そのローカル福島局ニュースを見ていて「あれ？」と思った。なんか違う。四月の異動でキャスターが（さらに不慣れな新人に）変わったとかじゃない。

そうだ、天気予報と一緒に必ずやっていた「それでは今日の各地の放射線量です」のコーナーが、無くなってるではないか！

このコーナー、八年前に福島県に越してきた当初はすごく新鮮で、「私は原発事故被災地の復興支援に来たんだ！」と妙な高揚感を覚えたような気がする。県全体に関しては代表地点一五カ所くらい、原発に近い双葉郡は八町村ごとに、当日観測された空間線量の最大値と最小値が表示され、そのあとイチエフの排水口付近の海水の放射線量も毎日放送されていた。

しばらくすると慣れてきて、それこそ天気予報と同じような感覚で聞き流すようになってはいたが、それでもたまに、お世話になった浪江町の最大線量まだ5・8かあ、などと確認できる機会ではあった。

はて、いつから放送がなくなったんだろうと思い、ネットで検索したがなかなか情報が出てこないので、ＮＨＫの問い合わせフォームから問い合わせた。そしたら中二日でちゃんと返事が来た。

「ＮＨＫ福島放送局では、二〇一一年より県内の放射線情報の放送を続けて参りましたが、当初は、変動する放射線量の値への関心も高く、生活に密着した情報としてご覧いただいていましたが、帰還困難区域などの一部を除いて大幅に減衰した現在では、放送を続けることについて『かえって危険な場所という印象を与える』といった声も寄せられていました。

依然として不安を感じるという声もあることは承知しておりますが、引き続きホームページとデータ放送でお伝えすることとし、テレビとラジオでの放送は、東日本大震災と原発事故の発生から一〇年を機に終了することが適切と判断し、二〇二一年三月二九日の放送から取り扱いは終了しました。これからもＮＨＫの放送をご視聴くださいますようお願いいたします。ＮＨＫ福島放送局／ＮＨＫふれあいセンター」

はて。二〇二一年三月末には終わっていたということは、もう一年以上やってなかったわけだ。なんで最近まで気づかなかったんだろう。それほど私自身の関心が薄くなっていたことに加え、さらにこの二年ほど「それでは今日の新型コロナウイルス感染者数です」というのが常設コーナーになっているから、私の脳内でなんとなくすり替わってしまったのかもしれない。

そういえば三年くらい前だったか、県内各地に設置されてる空間放射線量モニタリングポスト約三〇〇〇台の大半を撤去するという話もあった。でも、私の生活圏内にある二台（福島駅西口と県立美術館の庭）はまだ存在している。調べたら、撤去反対が多くて原子力規制委員会がポストの「撤去を撤回」したらしい。

ちなみに、福島駅前のモニタリングポストは、福島市に越してきた当初（約六年前）は0・2（マイクロシーベルト／毎時）台だったと記憶するが、いまではだいたい0・1台だ。県外の人にとっては「なんだっけ、それ？」な話だと思うが、放射線量というのは確実に自然減衰するものだということ。

昨年三月、事故から一〇年ということでいろんな「一区切り」があった。でも一〇はただの数字だ。

私自身、双葉郡から離れた福島市に暮らしていると、もうイチエフのことや避難区域のことは日頃ほとんど念頭に浮かばない。だけど、イチエフの処理水の海洋放出、一度は帰還困難とされた区域の将来、化石燃料不足のなかで原発再稼働の是非……。ホントはまだまだ考えるべきことはたくさんある。

つぎつぎ新しい危機の到来でどんどん記憶が上書きされていくが、たまに外付けメモリからフクシマの情報も取り出さないといけないと思う今日このごろ。

二〇二二年七月三一日

■おふくろの味なんてなくてもいいの

おいしい味噌を買いに、わざわざ車で小一時間かかる二本松市内の道の駅へ向かった。

中通り地方の大動脈、国道四号バイパスから東へ折れるともう田舎道である。阿武隈山地へ向けて緩いカーブとアップダウンを繰り返す三桁国道に信号機はほとんどない。平日の午後、数台の軽トラを除いて道路はほぼ独り占め状態だ。

ザ・里山の風景の中をのんびり運転していると、久しぶりに出てきた信号が消灯していた。あらあら、交通量が少ないからとうとう撤去しちゃうのかな。

まもなく目指す道の駅に到着し、まずはトイレへ。田舎の商業施設でもイマドキはちゃんと最新のウォシュレット付き。だけど、洗うボタンを押しても水が出てこない。あら壊れてる? トイレの水は流れたからいいけど、せっかくだから直しといてほしいな。

次に手を洗うため蛇口の下に手を差し込むと、これも水が出ない。ハンドル無しのタイプでみなさん戸惑うらしく、「センサーはここです」という手描きのイラストが貼ってある。でも、手の位置をどう変えても出てこない。ダメじゃん、これ。ウェットティッシュ持っててよかった。トイレから出て食堂の窓を覗くとなんだか暗い。あれ、休みか? いや、中に人はいる。そうか、節電か。近所のスーパーも一部照明おとして営業してるもんね。でもちょっと暗すぎないかしら? などと思いながら物産販売所へ。こちらもかなり暗い。入ると店員さんがレジ付近に集まって会議中である。

私はここに至って初めて、一帯が停電しているのだと気がついた。店員さんは「停電のため一時営業休止」の貼り紙を準備している。キャッシュレス時代は電気が通じていないとレジも動かないのだからしかたない。でもこちらはわざわざ三〇キロ北の福島市から来たのだ。どうしてもここで売ってる味噌を買いたい。かけあった結果、現金払い・お釣り無しなら、という条件で無事購入できた。

というわけでみなさん、やっぱりキャッシュは持っといた方がいいですよ（笑）。

東北電力のサイトを調べてみると、その日は私が到着する直前から二時間くらい、あのエリア約一二〇〇戸が停電していたそうだ。ドンピシャそんなところに突っ込んだ自分の運の良さ？に驚いたが、ちょうどお昼どきだったから、道の駅で昼飯を調達しようとしていた人たちは困っただろう。

だけど、敢えて言う。こういう「電気がない」事態とか、こないだの通信障害みたいな「つながらない」状態とか、たまに経験するのはいいことだと思う。でないと、電気も電波もその有り難さを忘れてしまう。電気がないと水も出ないインフラになっちゃったことを折に触れて憂えないといかん。

さて、その味噌。これはもっぱら朝の味噌汁用である。これ、数年前の私には考えられないことだった。朝は絶対にパンとコーヒー派だったからだ。

和食に変えたのは主に美容健康上の理由で、パンに塗るバターとか目玉焼きの油とかが気になり始めたからではある。が、おいしい味噌で作った味噌汁っておいしいじゃん、と気づいたこともかなり大きい。

それまで私は家で味噌汁を作る習慣はなかったし、会席料理の最後に恭しく出てくる赤だしなんかはともかく、定食屋の味噌汁も大して好まなかった。そういえば子どものころ実家の朝ごはんは和食だったはずだが、正直いって母が作った味噌汁をおいしいと思った記憶はない。

母は昔から決して料理好きではなかった。味噌汁に限らず、私にとって「おふくろの味」の類いはまったく存在しない。母の得意料理など記憶にないし、手作り総菜を他の人におすそ分けしてるような姿も見たことはない。それでも家族四人の三度の食事（自営業だったから文字通り三食）プラス私の弁当まで作ってくれていたのだから感謝しかないのだが、やはり好きでないものをやり続ける原動力は義務感のみだったと思う。

それも京浜工業地帯の川崎のことであるから、手作り味噌だのとれたて野菜だのが周りにあるわけでもない。今みたいに生協の宅配とかもない。自らも自営の手伝いをしていた母にとって料理は時短の勝負で、朝ごはんの味噌汁は近場で手に入る粉末ダシに大手メーカーのお徳用味噌。それもよく溶け残った塊が入っていたように記憶する。

母には申し訳ないが、私の長年の味噌汁嫌いはそういう原体験によるところが大きかったんじゃないかと思う。

それが福島に来て農業が少し身近になり、味噌作り体験なんかもしてみて味噌ってこうやってできてるのかと知り、スーパーで見慣れたメーカーの製品だけでなく、地元の人が手作りしてる味噌も買えるようになった。

で、おいしい味噌を使うと味噌汁もおいしいんだということを、齢五〇を越えてやっと理解したのである（もちろんダシも大事で、我が実家では見たことのなかった煮干しというものでダシをとると、これがうまいと知る。ただ後が少々面倒なのでこちらは煮干し系の粉末に回帰中）。

明日も福島は熱波だから、冷や汁にしようかね。

■人口を増やすには

二〇二二年九月一日

久しぶりに夜の居酒屋で酒を飲んだ。場所は浪江町で、この日は泊まり。ライター仲間のYさんが誘ってくれて、かつ宿まで送迎してくれるというので、心置きなく日本酒をいただく。カウンターでちびちびやりながら会話を楽しむのはやっぱりいいね。その数日前にも友人と久しぶりにオンライン飲みして、それはそれで楽しかったが、やっぱりリアルっていいよね。といっても、悲しいかな、もうあんまり量は飲めないので、その晩は冷酒一杯でおしまいにしちゃったけど。

居酒屋は客にお酒を飲んでもらってなんぼの商売だ。コロナになって宴会が減り、外飲みが減り、夜営業する飲食店はほんとに大変だと思う。都会ならまだしも、地方はもっと厳しい。公共交通が貧弱、つまりみな自分の車で移動しなきゃいけないから飲めないだけでなく、高齢世帯が多いとランチはともかく夜に外食しようという需要自体が少ない。

そもそも夜間人口が圧倒的に少ない場所で、夜営業するというのは相当な勇気がいると思う。私が住む県庁所在地、人口二八万の福島市ですら、ここ二年で夜営業をやめた店は多いのではなかろうか（うちの近所のカフェも夜一〇時まで営業しててそれなりに便利だったのだが、今では六時に閉まる）。

市街地の避難指示が五年半前に解除された浪江町、現在の居住人口は一九〇〇人。この居酒屋さんは、そんな浪江で夜営業する数少ない店のひとつだ。店主が避難先から戻ってきて店を再開したのは四年前だそうだが、それでも最初の一年半はかなり景気がよくて、膨大な量の「復興」関連事業を請け負う企業の宴席が連日のように入っていたという。

それがなくなったのは、まずはコロナのせいではあろうが、おそらくそれだけではないのだろう。町内では、帰還困難区域の除染や家屋解体などがまだ続いているらしく、昼間はたくさんの作業員が働いているようだった。でも、こういう事業もいずれは終わる。

カウンターに座ってそんな店主の話に相槌を打っていたら、逆に質問された。「この地域の人口を増やす一番早い方法はなんだと思う？」

「原発再稼働ですか」

「そう、それがこの地域の現実だよ。イチエフは無理でもニエフを再稼働させるだけで町ひとつぶん人口が増える」

だよね。原発事故被災地をフロンティアと呼んで、移住して起業する若者をいくら呼び込んだり育成したりしても、所詮数は知れてるもんね。ただでさえ日本は電気足りないんだしね。メガソーラーだっていっぱいつくったけど、ソーラーパネル並べても雇用は増えないもんね。

でもね、でもね、でも……。

私が浪江の居酒屋で酒を飲んだ夜、八月三〇日の午前〇時。その隣の双葉町でついに一部の避難指示が解除された。全町避難から実に一一年五カ月ぶり。この町に立地しているイチエフでは事故で壊れた原子炉の廃炉作業が続き、その外側には県内各地から集められた除染廃棄物が「中間貯蔵施設」という名称で保管されている。

二〇二二年九月三日

■自分なりに考えてはみたけれど

福島県に住んでもう九年近くなるというのに、原発の是非についてまだ頭が整理できていないというのも情けない話ではあるので、とりあえず素人の私なりにいま思うところを書いておく。

いま全国でほとんど止まっている原発を再稼働することへの不安には、二種類あると思う。一つは、また事故が起きたときどうする問題。もう一つは、事故が起きなくても元来原発が持ってる使用済み核燃料どうする問題。

一つ目の、また事故が起きたら、というのはもちろん想定しておかなければならない。安全基準を高めたからもう大丈夫、どんな地震や津波が来てもイチエフのような事故は二度と起きない、と言い切ってしまったら、また安全神話に逆戻りだ。

ただ、どれだけお金をかけてどれだけ対策しても事故の可能性を完全にゼロにはできないわけで、それは原発だけでなく何でもそうだが、だからこそ施設面の安全対策は常識的な範囲に収め（そこに手抜きはないという前提で）、もしも事故が起きたときのインパクトを最小限にする方策に注力すべきだと思う。

まず想定すべきは「自治体丸ごと長期避難」だ。実際はどのくらいの放射性物質が拡散するのかによって逃げる範囲が変わってくるところが難しいけども、とりあえず二〇一一年のイチエフ事故のケースで言えば、津波と違って同じ自治体内での避難では済まず、自治体丸ごと別の自治体へ長期間避難しなきゃいけない可能性が高い。そういう場合に備えた制度面の整備（自治体間協定とか二重住民票とか）は必須だと思われる。

そしてなにより、汚染された地域をどうするか、また住めるようにするのか諦めるのか。この判断にかかる膨大なコストを想定する必要がある。

その際、賠償金や除染費用、復興名目予算など目に見える金額だけで比較するなら、それでも原発止めて化石燃料輸入するコストのほうが高い、という計算も成立するのかもしれない。でも、その背後にある人々の健康不安、心理的軋轢とコミュニティの分断、それらをつなぎ合わせようとする努力、そこにかかっている有形無形のリソース、同時に発生しているはずの機会ロス。そういうものをぜんぶひっくるめて金額換算できたとしたら、もう天文学的数字になるのではなかろうか（健康不安が「不安」で済まず、事故で漏れ出た放射線による被ばくと何らかの疾病との因果関係が立証される事態になれば、「コスト」はもっと明確になるんだろう）。もう一度、同じ規模の事故が起きて、同じような避難が発生して、同じような賠償をして、同じような避難指示解除の方針でやっていくなら、日本は壊れるんじゃないかと思う。

敢えて言うが、もしも日本が、国民の住む場所を国が指定したり、強制的に移住させたりできる国だったら、そして、汚染された地域を国が強制的に買い上げて永遠に立ち入り禁止にできるような国だったら、少なくとも物理面での物事はもっとシンプルだと思われる。

いや、心理的にだって、最初から「あなたは二度とここには戻れません、他所で暮らしてください」とハッキリ言われたほうが、そのときは胸がえぐられても、長い目で見れば、真綿で徐々に首を絞められるような苦しみよりはマシではなかろうか。次の原発事故に備えるなら、日本はそういう国になるしかない。

でも、なれますかね？

なれなくても、「そうはいっても、もうああいう事故は起きないでしょう」といって安全神話に逆戻りすることはできる。たぶんそうなる。

だとしても、二つ目の問題、いわゆるトイレの無いマンション問題は残る。でもトイレに行きたくなるのはまだ先で、いま目の前の子どもは食欲旺盛でお腹が空いている。この子に食べさせ続けるなら、いずれトイレに行きたくなる前に必ずトイレを作る、という確約をしてほしいものだが、これもやっぱり、手上げ方式ではなく、国が強制的に土地を接収して処分場をつくれるような強権国家にならないと無理じゃなかろうか。法律で期限が決まっているイチエフ事故の除染廃棄物の処分場ですら、まだ見通しが立っていないのである。

コロナの外出制限も医療機関への患者受け入れも原則「お願い」でとどまる国である。それはこの国の良いところでもある。原発を動かすなら、事故の可能性はゼロにはできないしゼロにする必要もない、でも起きたときのインパクトを最小化するためにどう備えるか、それを真剣に議論するなら、そういう日本国の「良さ」も再考せねばならないのではないか。その議論を避けて通りたいなら、やはり、少なくとも既存タイプの原発は動かさないでいるのが賢明だとは思う。

でも人間やっぱりお腹は空くし、今日明日電気が止まったら困るから、自分の生きてる間は「そういう事態」にならないように神さまにお祈りし、夢の核燃料サイクルも含めて新技術が開発されてこういう問題ぜんぶ解決するだろう、という根拠のない楽天主義を採用して思考停止していたほうが楽である。

だからそうしよう、とは言いたくないけれど。

■ひきこもり　二〇二二年九月二三日

先々週のある朝、「母が発熱、コロナ陽性」と弟から電話が来た。そのときは解熱剤を飲んで小康状態のようだったが、いよいよか、と思った。

八五歳の母は七年前に大病から奇跡の復活を遂げたが、そのとき病んだのはまさに肺。気胸で空いた穴はまだふさがってない。山のような薬が欠かせない要介護生活であるから、コロナになったらこんどこそ終わりだと思っていた。

でもそのあと連絡がない。夜になっておそるおそる母に直接メールすると、「いま六度ななぶ」の返信。翌日に電話したら「わたし、熱出たんだったかしら？」

はあ、忘れちゃうくらい大したことなかったのね。拍子抜け、というのも変だが、なんだかなあ。その後も特段の後遺症もないらしく、いたって普通にしている。たまたまラッキーだったというか、母の免疫力が強靭だったということにしておこう。

私は幸いまだコロナ陽性判定になったことはない。どうせかかるなら、在宅療養でも「みなし入院」として入院保険金が出るという明後日二五日までに判定されたいものだと思うが、これればかりはコントロール不可能だ。

最近は福島駅周辺でも催しものが復活してきた。いつどんなイベントにいっても「わーすごい人！」という過密状態には遭遇しないのが福島のいいところ。とはいえ、先週出かけてみた夜の屋台イベントはお客さんが少なすぎてさすがに寂しかった。

いや、路上に十分な間隔をとって並べたテーブルあちらこちらに客はいる。けども土曜のいい時間というのに、いかんせん一帯の人通り自体が少ない。閑散とまでは言わないが、なんとも静か。これはコロナのせいなのか、そもそも場所に集客力がないのか。雑踏の中でピープルウォッチングという、おひとりさまならではの趣味を楽しもうと思ったが断念。しばらくして風も冷たくなってきたので、ワイン一杯で早々に引き揚げた。

お彼岸に帰省したら、こんどは東京駅も川崎駅も人でごった返していた。コロナをはね返した母だが、最近は人混みでノロノロしていると突き飛ばされそうで怖いらしく、駅方面にはまず行かなくなった。

なんだか、うまくいかないもんだな。

■格差を考える

二〇二二年一一月一九日

テレビで大相撲を見ている。

べつにファンではないが、サラリーマンを辞めてからというもの夕方は五時を過ぎるとテレビをつけることが多く、ＮＨＫしか見ない私は相撲の時期には必然的に相撲を見ることになるのだ。見始めると結構おもしろいので、決まり手だのなんだのわからないなりに楽しんでいる。

楽しめている理由の一つは、若隆景の存在だろう。福島市出身。今年の春場所で優勝したとき市内は大盛り上がりで、地方の人にとって「わがまち出身」のスポーツ選手や芸能人の全国的な活躍がいかに特大ニュースであるか実感できた。かくいう私も今ではすっかり「地方の人」として、気づけば若隆景・若元春・若隆元の大波三兄弟をゆるく応援している。

そもそも、八年前にこちらに越してきた当初、福島ローカルニュースで福島出身力士の勝敗が場所中毎日紹介されるのを知ってカルチャーショックを受けた。東京でも首都圏のローカルニュースはあるが「東京・神奈川・千葉出身力士の今日の勝敗」なんて見た記憶がない。

もしかして首都圏出身の力士なんていないのか？　と思って調べたら、幕内にもちゃんといる。私でも名前を知っている翔猿や千代大龍は東京出身だそうだ。彼らが優勝したら『東京新聞』の号外とか出るのかしら？　都庁に垂れ幕とか下がるのかしら？　東京駅の土産コーナーに関連グッズとか並ぶのかしら？

そうならないとすれば、なんか、喜ばれ方に「格差」あるよね(笑)。

格差といえば、大相撲の場所はなぜ関東以北には来ないのだろう。名古屋でも大阪でも福岡でもやるのに、巡業以外に東北・北海道にお相撲さんたちが来ることはない。ついでに言うと「神韻」も見てみたいのだが、次の日本ツアーも宇都宮どまりでそれ以北は来てくれない。

そういえば原田真二さんも最近はぜんぜん東北に来てくれないなー。今年六月に仙台でアコースティックライブ一回だけ。こういうスポーツや芸能関係以外でも「西高東低」を感じてしまう事案はいろいろある。

あ、でも今般の衆院小選挙区一〇増一〇減では、減った一〇区のうち七区は西日本なのね。

ちなみに東日本では福島県でも一区減らされ、政治家の先生方はケシカランと言っている。こと分配に関する限り、一〇〇人に聞いて一〇〇人とも公平公正というモノゴトはあり得ないが、議席も興行も「住んでる人の数」だけではない物差しがあってほしいなとは思う。

とりあえず、今場所も小兵・若隆景が巨漢力士を投げるところを期待！

■東電の広告

二〇二二年一二月二〇日

昨日の日経に「福島第一原子力発電所　廃炉の現状と取組み」という見出しがあった。東電が出した、いわゆる記事体広告だ。新聞の全面を使って何を「広告」したいのかというと、つまりは処理水の海洋放出の安全性、ということになる。

新聞記事のような体裁で、文字は一六〇〇字くらいか。図やイラストも交えながら、廃炉を進めるためには処理水の海洋放出が必要であり、これだけの安全策をとります、海外の原発からもトリチウムこれだけ放出されてます、といったことが淡々と説明されている。ほんとうに淡々と。

東電が記事中で書いてるように「科学的な根拠に基づく情報を国内外にわかりやすく発信」しようとすると、こうなっちゃうのだろうか？

海洋放出についての個人的意見はここでは置いといて、もし私がマーケティングの授業で「処理水を海に流しても大丈夫だということをわかりやすく発信する広告を作る」という練習課題をもらったら、どうするかなと考える。

おそらく、「トリッチ君」みたいなゆるキャラをつくって、僕たちは自然界にもいっぱいいるよ、みたいなイラストを作るのかしら。でもそれこそ去年復興庁が作ろうとしたチラシと動画なんだよね。トリチウムを可愛らしく表現したイラストが使われ、「問題を矮小化している」などの批判を受けて削除した、っていう。そっちの方向にいくとそうやって非難されるので、やっぱりこういう「科学的な説明」を文字で淡々と述べる「真面目な」スタイルにせざるを得ないのかなと思う。

メインコピーだって、単純に訴求力だけを考えたら、「心配無用。処理水を海に流したことが原因であなたが病気になることはありません」みたいなキャッチにすべきじゃないか。本当に達成したいのが、「科学的に安全だという理解」ではなくて「大丈夫なんだなという安心と納得」なのだとすればね。でないと「風評」はなくならない。

全町避難時代の浪江町役場で広報の手伝いをしていた頃からずっと感じていることだが、放射線や原発廃炉に関するリスクコミュニケーションは本当に難しいと思う。

放射線のセミナーや研修も何回も受けたが、多くの人が親しみやすい方法で平易に伝えようとしたものに対しては、物事が単純化されすぎているのではないか、という疑念がわく。かといって詳細な情報を網羅したものに対しては、専門的なことを並べて素人を煙に巻こうとしているのではないか、という拒否感を持つ。人間、そういうものだ。

国も東電も専門家も、このくらいのトリチウム水なら海に流しても問題ない、大丈夫、とは書けない。環境中の放射線量は、このくらいなら問題ない、大丈夫、とは言えない。

このくらいなら他所でも存在します、このくらいなら他所でも放出してます（あとはあなたが判断してね）、としか言えないのであれば、「安心したい、安心させてほしい」私たちと、「理解を深めてもらいたい」だけの国・東電との間のギャップは埋まらないだろう。

トリチウムは大丈夫でも体内で「有機結合型トリチウム」になったら内部被ばくが心配だ、とか。そもそもトリチウム以外の核種がちゃんと除去できていないんじゃないか、とか。モルタル固化とか他の案は真面目に検討されたのか、とか。そういう疑問に、Q＆A形式で答えてる経産省のページなんかもあるようだが、推進側の言うことがハナから信用されてない場合、双方の主張は永遠に平行線である。

どだい、完全なる「安心と納得」を望むのは無理なのだ。

あちら立てればこちらが立たずの中で、ぶっちゃけ、経済的にも環境的にも折り合える現実的な選択肢はこれしかないらしい、という「消極的理解」だけでもどうやって深めるか。

そういうことなんだね、この広告で言ってるのは。

■待ち人きたよ

二〇二二年一二月三〇日

年の瀬の今日、小さな福島駅は大きな荷物を持った人でいつになく賑わっていた。

東北新幹線の改札前は降りてくる人、それを待つ人、これから乗る人でいっぱい。駅前では車寄せに入りきれない送迎車が周辺の道路に列を作って駐車している。コロナ禍スタート直前の二〇一九年末もこれほど混雑してた記憶はないのだが。

駅ビルの中の飲食店も久しぶりの大繁盛だったろう。私も上りの新幹線に乗る前に腹ごしらえと思い、いつも前を通っているのに入店したことのない和食屋に入ってみたら、まだ一一時半前なのにほぼ満席であった。

客の回転も速く、店員たちが大忙しなのは歴然だった。全員が若い女性だ。通常の接客に加え、入口では検温、空いた席のアルコール消毒という「ひと手間」がまだ続いている。にもかかわらず、彼女らの態度には「これ以上仕事増やさないでくれ」オーラがみじんも感じられない。感心した。

隣のテーブルでは年配の女性が二人、やれ〇〇を少なくしろ／多くしろ、やれ箸を落とした、やれドレッシングの蓋が開かない、と店員を呼ぶのだが、そのたびに嫌な顔ひとつせず、当意即妙に対応する。反対隣の常連客らしい年配男性二人が顔見知りの店員を呼び止めると、他の客の邪魔にならない程度の、これまたちょうどいい加減の会話をアドリブで展開する。大したものだ。

全ての客にいつ何時も平常心で接し、臨機応変な応対ができるかどうかは、訓練はもちろんだが、やはり持って生まれた性格も関係すると思う。

私自身、接客という仕事が全くの未経験というわけではない。三年前に始めた観光案内所のバイトは、最初は緊張したが今では次のお客さんが何を尋ねてくるかけっこう楽しみになっている。いつぞや大型連休の温泉旅館で中居のバイトをしたときは、ヘトヘトになりながらも一期一会の出会いの中で勝負するやりがいは何となくわかる気がした。

それでも今日の和食屋の店員が私に務まる気はしない。今年最後にいいもの見せてもらった。年末年始も休み無しの皆さん、お疲れさまです。


そんなことを考えながら、東京へ向かう新幹線に乗る。大半の帰省と逆方向とはいえこの時期さすがに混むだろうと、比較的空いていると思われる各駅停車自由席にしたら、見事にガラガラであった。ウトウトするうち約二時間で東京駅に到着。案の定、そこは福島駅の「混雑」が事実誤認と思える人混みだった。

さて、これから実家で年越し一週間。

帰る家があること、待っている家族がいることがどれだけ有り難いかはわかっている。だからせめてこの七日間、年相応のボケが入った母の言動に、いちいち嫌な顔せず声を荒らげず当意即妙の対応をするよう努力しようではないか、ワタシ。

……と決心したにもかかわらず、実家到着後ここまで書いてブログにアップする前に、食卓上の紙の山の中に謎の通販請求書を見つけてしまい、さっそく一発（ごく控えめに）怒鳴りました、とさ。

■正月に考えたこと

二〇二三年一月九日

元日は弟の家族が三年ぶりに四人そろって実家にやってきた。高校二年と中学二年になった甥っ子たちは、お年玉以外にお祖母ちゃん伯母ちゃんに会いたい理由もないだろうが、そこは逆にオトナになったようで、もらうものをもらって会食が終わっても露骨な「早く帰りてぇ」そぶりは見せなくなったので感心である。

翌二日は東京の友人とおしゃべりし、三日は逗子の友人別荘を訪ね、四日は墓参りの帰りに従妹と食事。その三日間とも、話題はほぼすべて老親の体調と自分の健康であった。

新聞や経済誌を読むと、人口減少・高齢化が進む日本は「国力」が低下した、という意味のことが書かれている。だから政府はこれ以上の少子化に歯止めをかけるのに必死である。

もちろん日本国内だけを見て短期的に考えれば、頭でっかちのいびつな人口構成による医療や社会保険の破綻可能性は「今そこにある危機」だから、とりあえず（移民も含めて）若年層の数は増えてくれた方がいいとは私も思う。

また、国内市場は縮小するので、日本株式会社としては人口がまだ増え続ける中東・南アジアやアフリカに活路を見出せ、という理屈もわからないではない。

だけど、もっと根本的なところで彼らの論理は何か間違ってる気がするのである。

辞書を引くと「国力」とは経済力とか軍事力とかの総体だそうである。だけどやっぱり大もとは経済力だろう。

経済力＝豊かさ。国民みんなが豊かになるためにはパイが拡大し続けなければならない。パイが拡大し続けるためには市場が拡大し続けなければならない。市場が拡大し続けるためには人口が増え続けなければならない（軍事力だって、結局は兵器を買うおカネとそれを扱う人間がいないと始まらない）。そういう理屈にしか聞こえないのだ。

でも、これは普通に考えたらとうぜん無理な話である。

日本でその理屈が正しいなら他の国でだって正しい。世界のすべての国において、人口が増え続けることが経済的に「善」とされ、医療技術の発達により人はどんな状態であれ一日でも死ぬのを遅らせることが倫理的に「善」とされる。その末はどうなるのか。

世界の人口が一方的に増加し続ければ、理論上、いずれ地球上は人類で隙間なく埋め尽くされる。それは単純な物理的真理だ。そんなのあり得ないと笑う人は、そうなる手前のどこで

「人口増＝善」という現在の「常識」が覆ると考えているのだろう。

もっとも、世界人口はあと数十年でピークアウトするという推計もある。一〇〇億に達してから頭打ちになるとか、いや九〇億がピークだろうとか、いろんな試算があるようだが、幸いこのまま右肩上がりではないかもしれない。

これまでの歴史が教えてくれるところでは、貧しい国が豊かになれば一人の女性が産む子どもの数は減る。遅かれ早かれ人口維持可能な2・06を下回るまで減る。

豊かになることと人口が増え続けることは、長い目で見ると両立しないようにできている。あえてこれを自然の摂理と呼ぼう。これも普通の人なら感覚的に知っている事実ではなかろうか。それなのに、経済紙誌に論説を書くような頭のいい人たちは、どうして「人口増加で市場拡大して豊かになる（あるいは他所の人口増加地域に市場を求めて豊かさを維持する）」という単線的なロジックしか提供してくれないのだろう。

だからといって、そもそも豊かさとは何かとか、目指すべきは豊かさじゃなくて幸せである、みたいな哲学的講釈をしてほしいわけじゃない。中東やアフリカでついに人口減少が始まったとき、その単線的ロジックは通じなくなる。世界人口の増加を前提としない経済成長（成長しなければならないとすれば）のあり方こそ議論してほしいのだ。それこそ「新しい資本主義」なんじゃないのかしら？

でも、やっぱりこれは豊かさってナニ？　というハナシになるんだろうね。

Z世代の価値観にすでに「豊かさ」の定義が変わる兆しは見えているのかもしれない。調べたら、甥っ子たちもZ世代に当てはまるらしい。彼らが高齢者になる頃までには、世界的なパラダイムシフトが起きていることを願う。

■彼はわかってくれるだろうか

二〇二三年一月二〇日

自分から年賀状を出さなくなって久しい。連絡をとりたいと思うような知人・友人とは、みんなSNSでゆるくつながっているから、「年賀状で住所確認」の必要を感じないためだ。当然、受け取る年賀状の数も激減し、最近は片手で足りるくらいになっている。

そのわずかに残った年賀状トモダチのうち、一人からついに今年、年賀状が来なかった。例年、家族の写真をコラージュしたものに手書きの一筆を添えて送ってくれてたのだが、私からは毎年同じような挨拶文をメッセンジャーに貼り付けて返信するだけ。そんな不義理を続けていれば、愛想をつかされても文句は言えないよね。

と思っていたら、昨日、その人の訃報を知った。

いくらSNSでつながっているといっても、相手が投稿してくれなければ直近の動静はわからない。間接的に聞いたところでは、昨年末にガンが見つかり、あっという間だったそうだ。

私が福島に来る直前の職場で一緒だったその人とは、仕事上直接の関わりはなかったが、小さな職場ゆえの顔見知りだった。私の退職お別れ会には顔を出してくれたし、その後も律儀に年賀状をくれたのは上述のとおり。私からも福島に来て最初のころ、何回か英文の読解について質問を送って助けてもらった記憶がある。他の友人たちと同じく、彼は私が「フクシマの支援」に行くことを静かに応援してくれていた。

いまの私はもう、「被災地を支援」してるなんていう立場じゃない。むしろ、いまだ「復興」の名目でこの地に落ちてくる国のおカネの、わずかなオコボレに与って生計を立てているというのが正しい。最近、彼とはもう年に一度のやりとりしかしなくなってたけれど、そんな状況を説明したとして彼はわかってくれただろうか。

そして私は、自分がいまガンを宣告されたらどうするかなと考える。余命一年、いや三カ月と言われたら？

やっぱり実家がある川崎に帰るだろうか？　医療機関がたくさんあって、腕のいい医者が相対的に多そうな東京に帰って治療を受けるだろうか？　古い友人がたくさんいるのもやっぱり東京だから、彼らに会うため東京に帰りたいと思うだろうか？

あくまでも脳内シミュレーションではあるが、イエスとは即答できなかった。そのことに自分で少し驚いた。

■「移住日記」卒業します　二〇二三年一月二二日

ここ半年ほど、月二回くらい仕事がらみで浪江町に行く機会がある。お昼はたいてい道の駅（二〇二〇年オープン）で食べることが多いが、最近は他にもかなりチョイスが増えたようだ。先日はライター仲間Yさん推薦の和食屋さんで定食をいただき、その味とコスパに感動した。

町の避難指示が一部解除された約六年前、二〇一七年三月末時点ではたしか、小売店は夕方閉まるコンビニ一軒、飲食店は先行オープンした仮設商店街の中の三店しかなかったと思う（それも営業日や営業時間がめちゃ限られていた）。いまの浪江にはちゃんとスーパーがあるし、街中の飲食店も三〇軒以上。いつ行っても賑わっている道の駅には無印良品も入ってる。

もちろんできたのは店だけじゃない。住宅や学校はもちろん、産業誘致で新しい工場や研究施設も次々。「この町は面白い」といって東京から若者が移住してくる地になった。

いまから九年前の二〇一四年一月。私が浪江町役場に入職し（正式辞令は二月一日だったがその二週間くらい前からボランティアで出勤していた）、避難指示下の浪江町に初めて連れて行ってもらったときは、まだ沿岸部はガレキの山。川の土手では車や船がひっくり返り、枯れた雑草の茂みの中で野ざらし状態だった。そういうビジュアルは刺激的だったから、興奮しながらカメラ（まだスマホじゃなかった気がするのでデジカメだったかな）のシャッターを押し続けたと記憶する。

その様子を「ふくしま暮らし、はじめました」というタイトルでブログ投稿したのが、九年前の今日だった。

まさに隔世の感である。

といえば一言で済んでしまうが、その間、私一人の人生をとっても、ここまで書いてきた二〇〇ページ以上のできごとがあった。

同様に、こうした浪江の劇的な外見上の変化の裏には、気の遠くなるような数の小さな一歩が積み重ねられている。

私が役場の中で直接その歩みを見聞したのはわずか三年少々だけれども、私は自信を持って断言できる。震災・原発事故から一二年間、テレビにも新聞にもネットにも名前の出ない人たちが黙々と、文字通り黙々と、強い意志と誠実さをもって目の前の仕事に取り組んできた。そういう無名のヒーローたちの努力なしで、いまの浪江はあり得なかったと（もちろんそれは他の被災地でも同じことだ）。

一方で、変貌していく新生・浪江の姿に複雑な心境を持つ元町民もきっといるのだろう。避難中に荒れてしまった家屋の解体が進み、かわりに新たな施設ができ、他所からの移住者も増えた街並みは、明らかに「元の姿」とは違うのだから。

私に「べき論」は語れない。でも、時計の針は前にしか進まない。いまだ町土の約八割が帰還困難区域という事実を踏まえたとしても、浪江は確実に「被災地復興」の次のステージに踏み出している。もう後には戻れない。

だから、私もそろそろ次のステージに向かわないといけないないなと思う。告白すれば、私の心の底辺には、いまだに当初の「お試し移住」の感覚が延々と続いている気がするのだ。どこか「仮の生活」という感覚が。そして、自分自身に「いつまで『移住者』なのか」と問いかけたとき、それは「いつまで『支援者』のつもりなのか」と同義だと気づいた。私が三年間お世話になった浪江町役場の二本松のプレハブ庁舎だって、とっくに解体されて更地になっているではないか。

このまま福島に暮らし続けながら、フクシマ、被災地、支援、復興、移住者、そういうボキャブラリーを自分の中から一掃してみたい。そうしたら何が残るか。それをまた新しいブログで報告できたらいいなと思いつつ、この辺でいちど筆をおくことに決めた。

これまで長い間お付き合いくださり、どうもありがとうございました。またどこかでお会いしましょう！

あとがきにかえて〜詩のようなもの

どうしても散文では綴れなかったとき

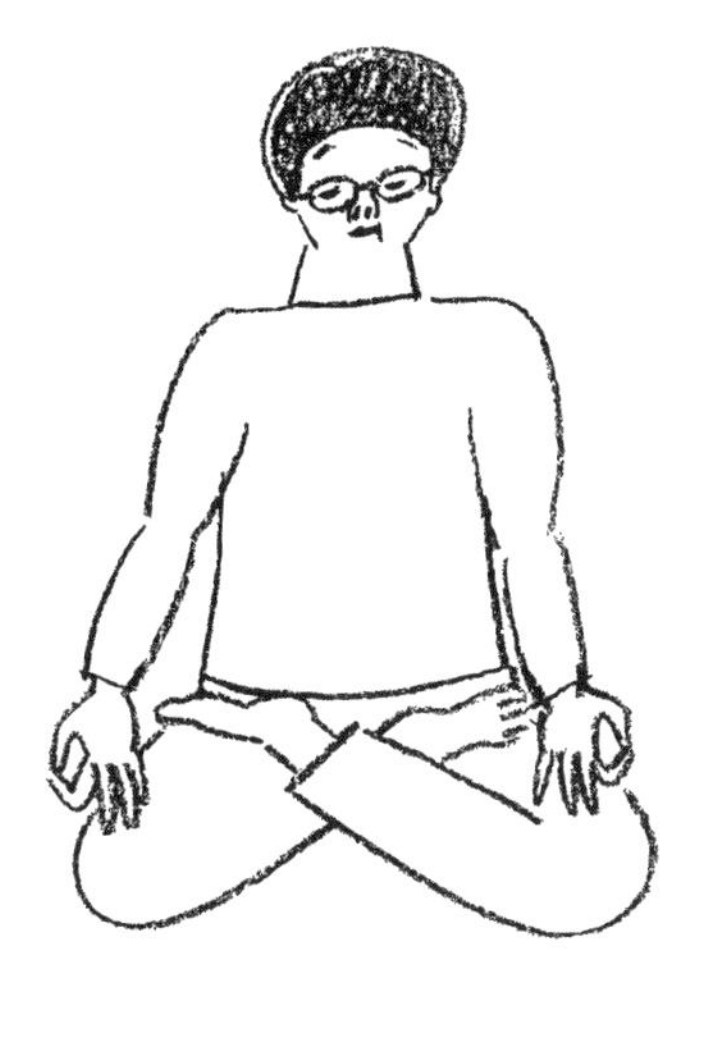

無題

今日の浜は突風、つむじかぜ
地表で土埃が渦を巻き
木の梢は折れるかと思うほど
びゅうびゅうびゅう

これは人々の怒りのあらし
ふるさとを返せ、ではなく
私の生活を返せ　人生を返せ
びゅうびゅうびゅう

でもだれも元に戻せない
だからだれも責任をとれない
どうやって落とし前つけてくれるんだ
びゅうびゅうびゅう

怒りはカチカチに研ぎ澄まる
振り上げたこぶしはどこにもおろせない
こんな姿に誰がした
びゅうびゅうびゅう

怒りが人を壊してく
あらしの中では
前を見るための目も開けられない
だから本当に大事なものまで飛ばされてしまう

びゅうびゅうびゅう
びゅうびゅうびゅう

あらしが止むことを願って
二年がたった
願うだけでは無力だった

（二〇一六年二月六日）

浪江町役場に勤めて三年目。
このころ、町の避難指示解除をめぐって
各地で住民説明会が開かれていました。

春

ホウシャノウ？　ナンダソレハ
と花は云ひ
バイショウキン？　シリマセンネ
と草は云ふ

「トウホクデ　ヨカッタ」ナンテ　ソノトオリ
コンナニキレイナ　バショダモノ

ここで芽吹いた草木たち
一生ここで仕合はせる

森に変わった田んぼでは
ほうほけきょ　きょ　ほうほけきょ

ココハ「キカンコンナンクイキ」トカ？
ニンゲンノコトバ　ムツカシイ
花も草も木も　ただそこに
風に吹かれてそこにゐる

（二〇一七年四月二六日）
帰還困難区域とされる浪江町津島地区にて。
このころ、ある大臣が、震災が起こったのが
「東北でよかった」と発言して問題になりました。

たぶん

円なのだ。球なのだ。
終わりがない。始めもない。
二次元なら円。三次元なら球。

おそらく、四次元にも五次元にもその先も、
ぐるぐる回る、それがある。

宇宙全体も。
時間そのものも。
始めもない。終わりもない。

今日は久しぶりに岳温泉に行って、いつもの鏡ヶ池を散歩した。去年も、たぶん一昨年も、この時期のマリゴールドがきれいだと思った。こうやって季節は毎年同じことを繰り返すけれど、自分だけは歳をとると思った。

でも違う。

今日の目の前のマリゴールドは、去年の個体とは違う。私が死んでも、別の誰かがここに来て、マリゴールドを見てきれいだと思うのだ。

繰り返す。

成長もない、後退もない。ただ繰り返す。
個体は生まれ、成長し、死んでいく。
でも全体では、永遠に繰り返す。
この宇宙が終わっても、次の宇宙が生まれる。

始めもない、終わりもない。
円のように。球のように。

時間そのものがそうだとしたら、
「繰り返す」という概念すらも——

たぶん、すべては、そうやって、在る。
たぶん。

（二〇一七年九月二五日）

ののはな

ののはな　あいらしい
ののはな　つつましい
ののはな　たくましい
ののはな　なもしらぬ
ののはな　きにしない
ののはな　ただ咲く
ののはな　ただ営む

（二〇一八年五月二七日）

福島に来て初めて、自然の草花それぞれの特徴ある姿態に気づきました。

明日に

さぞやご無念でしたろう
さぞやご無念でしたろう
さぞやご無念でしたろう

私はそうして泣くことしかできない
ただの悔しさとは違う
ただの怒りとも違う
「無念」の言葉の意味を、私は浪江に来て学んだ

さぞやご無念でしたろう

私はそうして祈ることしかできない
無念の魂の安らかなることを
無念の魂に恥じない仕事ができることを

時計の針は明日にしか進まないのだから
・
浪江町馬場有町長のご冥福を心よりお祈りいたします

（二〇一八年六月二七日）

私が三年余りお世話になった福島県浪江町役場。
　その馬場町長が現役のまま亡くなりました。
葬儀の帰り、どうしようもない気持ちでした。

夏の夜

ラジオから流れるプロ野球中継
煙草の匂い、低いエンジンの音
工場萌えなんて言葉ができるより
三十年以上も前の京浜工業地帯の夜景
ブルドッグが涎を垂らすビタワンのネオンサイン
もうすぐお家

もうすぐお家

……

おばあちゃんちの帰り、お墓まいりの帰り
あるいは若い家族旅行の帰り
心地良く疲れた私たちを乗せて
車はいつもの首都高を走る
途中で眠くなる……と、「ほら、ビタワンだよ」
もうすぐお家
もうすぐお家

……

このシーンは二度と再現されない、だって父はもうハンドルを握らないしビタワンのネオンはもう無いもん
でも私の記憶は夏の夜のプロ野球中継を聞きながら湾岸線を走る

もうすぐお家
もうすぐお家
いまでもお家

いつまでもお家

（二〇一九年八月二二日）

すっかり弱って入退院を繰り返していた父は、この一年二カ月後に八七歳で亡くなりました。

散歩

吾妻山に向かって橋を渡る
「おはよう」
吾妻山が言う
「今日はまた冷えるね」

「風が強いね」
さすが、吾妻おろしだね
「調子はどうだい」
おかげさまで、寒くてもこうやって散歩できるよ

「その橋を渡るのは何回目だい」
わかんないよ、もう
「今日は午後からそっちも雪かもしれないよ」

頭の上は青空、でも山の向こうは雪雲で白く霞む
土手の斜面にはまだら模様の雪
川の中にはいつものシラサギとカモ
おはよう
私が言う
今日はまた冷えるね

吾妻山を背にして別の橋を渡る
「気をつけなよ」
吾妻山が言う
「よく凍ってるから」

「これから仕事かい」

おかげさまで、まだちょっとは人の役に立ってるよ
「その橋を渡るのは何回目だい」
わかんないよ、もう
「今日は雪が降るから静かな日になるよ」

ほんとは山は何にもしゃべらない
白い頂を輝かせるときも
灰色に滲んで姿を見せないときも
私がここに居ようと居まいと
ただ空の先にデンとしている
それだけでいい
それだけでありがとう

（二〇二三年二月吉日）

中川　雅美（なかがわ　まさみ）

神奈川県川崎市出身。東京の外資系企業数社で20年以上、翻訳・編集・広報の仕事に携わった後、2014年２月～2017年３月、復興庁派遣職員などとして福島県浪江町役場の広報業務を支援。2017年４月より、福島市を拠点にフリーのライター/コピーライター/広報アドバイザーとして「良文工房」の屋号で活動中。

イラスト：エトユニグラフィック

五十路で単身地方移住してみた
九年間のふくしま暮らし日記

2023年７月６日　初版第１刷発行

著　　者　中川雅美
発 行 者　中田典昭
発 行 所　東京図書出版
発行発売　株式会社 リフレ出版
〒112-0001　東京都文京区白山 5-4-1-2F
電話 (03)6772-7906　FAX 0120-41-8080
印　　刷　株式会社 ブレイン

ISBN978-4-86641-653-3 C0095
Printed in Japan 2023